Ⓢ 新潮新書

國分功一郎
KOKUBUN Koichiro

目的への抵抗

シリーズ哲学講話

991

新潮社

はじめに——目的に抗する〈自由〉

自由は目的に抵抗する。自由は目的を拒み、目的を逃れ、目的を超える。人間が自由であるための重要な要素の一つは、人間が目的に縛られないことであり、目的に抗するところにこそ人間の自由がある。

本書に描かれているのはこの暫定的な結論へと辿り着く過程である。しかし、このように結論が最初に書いてあっても、読者はそれを読んだだけでは納得できないに違いない。哲学の書物には序文を書くことができない、すなわち、結論へと辿り着く過程を経験することで初めて結論の意味するところが理解できるのであって、序文が全体の見取り図や結論を先取りして提示していてもそれは読者のいかなる理解にも資することはないというしばしば取り上げられる格言のような教えは確かに本書にも適用できるのだろうが、ここでは事態はより単純である。

私たちは目的なる語なしでは何かを考えることができなくなっている。目的の概念なしでは仕事をすることもできないだろう。もしかしたら生活もできないかもしれない。目的はそれほどまでに深く私たちの心身に入り込んでいる。いや、そもそも、これらの指摘すら意味不明の言葉として受け止められてしまうかもしれない。目的なるものをそれ自体として検討の対象に取り上げるという所作そのものが、それを耳にした人に、全く理解できない外国語を聞いた時のような反応を引き起こすのではなかろうか。

実際、私自身がそのような反応をしていた一人であった。だから、まだ覚えているのである、目的の概念そのものを批判的に検討するという目論見が人に引き起こしかねない感覚を。「覚えている」と書いたのは、もはや私がこの目論見に対してそのような反応をしなくなったからに他ならない。これは、本書を作り上げていく過程で私自身にちょっとした変化が起こったことを意味している。つまり私はちょっとした経験をしたのであり、それによって同じ事柄――すなわち目的の概念の批判的検討――に対して異なった反応をするようになったのだ。

これは私自身が、本書によって批判的に検討されている社会的傾向にどっぷりと浸かっていたことを意味している。目的の概念の批判的な検討は、私が専門としている哲学の領域では頻繁に行われていた。だから私はそうした試みがあることはよく知っていた。しかし、その意味を全く理解できないでいた。目的の概念を問いただす……。そんな試みを耳にするたび、私はまさしく、全く理解できない外国語を聞いた時のような反応を繰り返していた。

この試みが私にとって近しいものとなり、次いで私の真剣な考察の対象となったのは、コロナ危機下の社会のあり方に対する違和感をなんとか言葉にしようと試み始めてからのことである。自分の中にあったモヤモヤとしたものを言葉にしていく過程で、私は、目的の概念が批判的に検討されねばならないと考えた哲学者たちがいたのはなぜだったのかをやっと理解した。そしてその試みが自由と強く結びついていることもやっと理解した。

もしかしたら私は哲学が当然と捉えているものからあまりにも遠いところに、あるいは、現代の常識が当然と捉えているもののど真ん中にいたのかもしれないが、とにかく私は自分が位置していた地点を自分で把握できたのだから、本書を作り上げていく過程には大きな意味があったのである。それを読者の皆さんとも共有したいと思ったのが、この本を出版しようと思った一つの理由である。

＊

本書の出発点にあるのは口頭で行われた二つの発表である。

一つは、東京大学教養学部主催「東大ＴＶ——高校生と大学生のための金曜特別講座」において私が二〇二〇年一〇月二日に行った講義（「新型コロナウイルス感染症対策から考える行政権力の問題」。オンライン開催）。もう一つは、私が二〇二二年八月一日に自主的に開催した「学期末特別講話」と題する特別授業（「不要不急と民主主義」。対面開催）。どちらもコロナ危機を主題としている。そして両者を隔てる二年間は、ちょうど、コロナ危機が最も強く社会を揺さぶった時期に当たる。これら二つを収めた本書は、したがって、私がコロナ危機の訪れとともに考え始めたこと、そしてそれを突き詰めていった挙げ句に考え至ったことの記録になっている。

そこで考えられた諸々の論点は私の中でなおも検討の対象となっているから、ここに収められているのは現在進行形の思考の現状報告である。それゆえ、ほぼ確立された命題のようなものを提示するというよりは、仮説を提示するという性格が強い書物になった。また学生向きの発表であったから、かなり砕けた口調で語っている。

自分でも驚きであったのは、もう一〇年以上も前に出版した『暇と退屈の倫理学』(新潮文庫、二〇二二年。最初の出版は二〇一一年に朝日出版社から)での考察が再び新しい装いをもって私の前に現れてきたことであった。その結果、私は同書における考察が政治という領域においてもつ意味について考え、その敷衍を試みることになった。本書はその意味で、『暇と退屈の倫理学』の続編としての性格を持っている。

本書が、読者の皆さんが自分でものを考えるにあたり気軽に手に取ることのできる材料の一つとなることを願っている。

二〇二三年一月

國分功一郎

目的への抵抗　シリーズ哲学講話　目次

【質疑応答】

1. 移動の制限はある程度仕方がないのでは？／2. 日本ではどのような制限を行政権に加えるべきか？／3. なぜ人々は自由に価値を置くことをやめたのか？／4. 出発の自由と到着の自由があるのでは？／5. 高校生が将来のためにやっておくべきこととは？／6. 日本で健全な政治を行うために必要なこととは？／7. 警告が届かないのはマスメディアのせい？／8. 生存以外の価値を人々は求めているのか？／9. 死者の権利とは？／10. テロリズムの脅威は？／11. マスクを着けたくない人々についてどう思いますか？／12. 哲学者はどこまでその役割を求められるのか？／13. どうすれば話し相手を増やしていくことができるか？／14. 主張を訴えたとして、社会は変わるものなのか？／15. 「死者の権利」を生者が語るのは傲慢なことではないか？／16. 現代は死生観が昔よりポジティヴになったのか？／17. 今日高校生とのやり取りで感じたことは？

第一部　哲学の役割——コロナ危機と民主主義

「生存以外にいかなる価値をももたない社会とはいったい何なのか？」

（ジョルジョ・アガンベン『私たちはどこにいるのか？――政治としてのエピデミック』）

コロナ危機と大学、高校

本日お話しさせていただく國分功一郎と申します。よろしくお願いします。最初にすこし自己紹介させてください。

僕は東京大学大学院総合文化研究科准教授として、今年二〇二〇年の四月に駒場のキャンパスに赴任しました。かつて、ここ、駒場の大学院で学んでいたので、自分の古巣に戻ってきたみたいな気持ちでとてもうれしかったのですけれども、着任早々、コロナ危機があって、実はキャンパスにもまだ五回ぐらいしか足を運んでいないのです。何度か郵便物を取りに行った程度で、駒場の教員になったという感じが全然ありません。駒場キャンパスにはきれいなイチョウ並木があるのですが、昼間だというのに、その並木通りを誰一人歩いていないという異様な光景も目にしました。その時は自分が知っているキャンパスとの違いに驚き、スマホで動画を撮りました。今年七月のことです。並木道を端から端まで歩きながら撮影しましたが、誰ともすれ違わなかった。驚きました。

今、大学はそのように大変な状況です。学生たちが集まってワイワイガヤガヤしながら勉強する場であるはずの大学に全く人がいない。そのことの異常性は改めて強調しておきたいと思います。

そして今日はたくさんの高校生の皆さんにオンラインで参加してもらっていますが、高校生の皆さんも本当にご苦労されていると思います。オンラインで高校の授業を受けるというのは、大学の講義をオンラインで受講するのとはまた違う苦しさがあるように思います。何と言っても集中できないのではないでしょうか。もちろん友だちと会って話もできないことが苦しいのは言うまでもありません。更に、そんな苦労をしながら授業を受けていたというのに、一部の学校では夏休みまで短くされた。もちろん、学校にも事情があって苦渋の選択だったと思います。ただ、学期中も苦しいのに夏休みまで短くされたのはキツかっただろうと思います。受験生はその中での受験勉強。本当に頭が下がります。

自己紹介

最初に自己紹介をしてほしいと依頼を受けておりますので、ウォーミングアップも兼ねて僕自身の紹介を少しして、そこから本題に入りたいと思います。

僕は今でこそ哲学の教員をしていますが、学部は早稲田大学政治経済学部政治学科に通っていて、もともと政治学科の学生でした。高校生の時にどこまで真剣に学科選びをしたか、あまり自信はないのですが、政治について考えてみたいという気持ちは確かにあったと思います。

ただ、政治学という学問があまり性に合わなくて、政治学では自分が政治について分かりたいことについての手がかりが得られないと思い、割と早い段階で投げ出しちゃったんですね。こんなことを大学の先生が言っちゃいけないのかもしれませんが、専門の授業が始まる二年生からは授業にはほとんど出ていませんでした。

その代わりに友だちと読書会をやっていました。勉強会のサークルに入っていて、そこで、読みたいと思う古典を読書会形式でずっと読んでいったんです。プラトンの『国家』、トマス・ホッブズの『リヴァイアサン』、ジョン・ロックの『市民政府二論』、ジャン＝ジャック・ルソーの『社会契約論』、カール・マルクスの『資本論』など、哲学の古典と言ったらよいのでしょうか、そういった本を片っ端から勉強会で読んでいきました。そのサークルで勉強したことが今の自分の血肉になっていると思います。

先ほど申しました通り、僕は今は哲学の教員で、駒場でも哲学・科学史部会という部署に所属しています。また大学の哲学の教員ですから、一応、哲学の研究者です。では、なぜ哲学の研究者になろうと思ったのか。

今日は高校生と大学生の皆さんにお話を聞いていただいていますので、そんな話も少ししたら役に立つかもしれませんから敢えてお話ししますと、そもそもは「俺は哲学をやるぞ！」なんて思っていたわけじゃないんです。「自分がやっているのは哲学なんだろうな。じゃあ自分なりに哲学というものを引き受けようかな」と思ったのは三〇歳ぐらいの時のことです。

修士論文のテーマは一七世紀の哲学者スピノザでしたし、スピノザを研究する目的で博士課程の時にフランスに留学もしましたから、「大学院の時から専門は哲学じゃないか」と思われるかもしれませんが、その頃はスピノザの哲学について分かりたいことがあるけれども分からないから、読んで、調べて、考えて、書いてということをただ繰り返していただけなんです。自分の専門分野はこれこれであるなどということを考えている余裕は全くなかった。論文を書かなきゃとか、留学もしなければならないから奨学金を取らなきゃとか、そういう目の前の課題に取り組むだけで精一杯でした。三〇歳ぐらいになって、やっと、自分がやっていることにハッと気づいたという感じです。

近くにある日常の課題と遠くにある関心事

別に高校生や大学生の皆さんに「将来のことは考えなくてもいい」とか「適当にやれ」などと言いたいのではありません。一〇代で進路を定めるのは難しいし、その段階ではいろいろなことが分からなくて当たり前だと思います。だから悩みますね。でも、悩んでいても、生活の中では悩みなどお構いなしに短期的な課題が次々に到来します。定期テストの勉強をしなければならないし、受験に備えた勉強もしないといけない。部活動などでも次々にやることがでてくる。

将来のことに悩むと、そういった短期的な課題に身が入らないことがあると思います。僕がよく学生に言っているのは、とりあえずまずは目の前にある短期的な課題に一生懸命に取り組みなさいということです。将来のことは不安です。不安ですけれども、だからといって定期試験の勉強をしないのはよくない。明日の学校の授業に真面目に取り組まないのもよくない。

その上で、自分の人生においてものすごく遠くにあること、将来についてのものすごく漠然としたことを、何となくでいいので考えておいたらいい。曖昧でよいのです。「世の中をよくしたい」とか、「何でもいいから大発見をしたい」とか、「人間とは何かを考えたい」とか、具体的には何を指しているのかがよく分からないことでもいいから、自分の中にあるボンヤリとした関心事、すごく遠くにあることを大切にする。

つまり、ものすごく近くにある課題とものすごく遠くにある関心事の両方を大事にする。なぜこんな話をするのかというと、その間にある中間的な領域のことはなかなか思い通りにならないんですね。どんな大学に行きたいとか、どんな会社に行きたいとか、そういったことはなかなか思い通りにはなりません。ですからそこに目標を置いてしまうととても苦しいことになる。でも、来週の定期試験の勉強はできますよね。また、「何でもいいんだけど、何か世の中をよくすることをしたいな」とかボンヤリ考えることもできます。

短期的な課題を一つ一つこなしていくと、課題で求められていたこと以上の何かが身につきます。人の話の聞き方だったり、自分の特性についての理解だったり、休みの取り方だったり、友だちとの情報共有の仕方だったり、失敗の受け止め方だったり、仕事の順番の決め方だったり、短期的な課題はたくさんのことを教えてくれる。その上で、遠くにある自分にとっての大切なことをボンヤリとでも思い描いていたら、人生におけるブレを不必要に大きくしないで済むように思います。先ほど言った、中間的な領域での思い通りにならないことによって必要以上に振り回されずに済む。

僕自身もそうだったように思うんです。僕にとっての、ものすごく遠くにある大切なものというのは、「ものごとを本質的に考えたい」みたいなことだったと思います。こんなにボンヤリしているわけですから、それがどういう形で具体化できるのかはよく分からなかった。結局、哲学という分野に落ち着いたわけですけれども、「哲学をやる」なんていう明確なイメージは若い頃にあったわけじゃない。哲学という領域は広大ですけれども、僕にとってはそれですら中間的な領域だったんですね。様々な事情でそれが決まっていった。で、それが決まっていくまでの間、一応、目の前の短期的な課題の一つ一つには一生懸命取り組んでいた。その結果として哲学の研究者になったという次第です。

自分で問いを立てる

では僕が研究している哲学なる領域の勉強をすることにはどんな意味があるのか。これについてはいろいろなことを言えるのですが、一つ、最近よく思う点をあげてみたいと思います。哲学というものを勉強すると、世の中に溢れている紋切り型の考え方から距離を取れる——僕はそんな風に考えています。

世の中には或る問題、論点についてのパターン化された答えが溢れかえっています。それらはだいたいが、賛成ならこう、反対ならこうという形を取っています。賛成と反対でパターンが決まっているわけですから、もうそれ以上話が進みません。どちらかがどちらかを何らかの仕方で圧倒して否定するしかその問題への解決はなくなる。今だと「テンプレ」なんて言葉もありますが、ある事柄について意見を形成しようとすると、まず賛成か反対かを決めなければいけなくて、そして賛成にも反対にもテンプレが用意されているから、そのテンプレのどちらかに身を置くことになってしまう。

でもそこで問題になっていることについてよく調べて考えてみると、テンプレが見落としている論点が見えてくることがあります。そしてその論点に注目することによって、テンプレ上の対立が無効化されることがよくあります。あるいは、テンプレに留まっていたならば考えることのできなかった問題が見えてくる。

そういう風にしてテンプレに留まることなく考えを進めていけるようになることこそ、哲学を勉強することの意味の一つだと僕は思っているんです。なぜならば、哲学というのは基本的に問いを立てて、その問いに概念をもって答える営みだからです。

あらかじめ用意された問い――この事柄について賛成か反対か――をただ受け取り、あらかじめ用意されたテンプレに身を置かざるを得ないのは、自分なりにその事柄について問いを立てるという営みが省かれているからです。哲学の勉強をすれば、問いを立てて、概念をもってそれに取り組む訓練ができますし、哲学の勉強にはそのような訓練が含まれていなければなりません。そもそも歴史上の哲学者たちは、誰でも、何らかの問いを立て、それに自らの概念をもって取り組んだ人たちなのです。

たとえば「カントという哲学者がこういうことを言った」という知識を蓄えることは大切です。それはかつて存在し、またそれに対する取り組みが行われた問いを、一つの重要な例として知ることだからです。けれども、そこから更に進んで、いま自分を、あるいは自分たちを悩ませている事柄について問いを立てるということもできるようにならなければならない。そもそもそれに悩まされているのなら、それをどうにかしないといけないわけですから。そのための訓練を哲学は提供してくれるし、提供しなければなりません。僕はそのような訓練――しばしば修行と呼んでいるのですが――これこそ哲学を勉強する上で非常に大切なことだと思っています。知識をインプットするのはもちろん欠かせない。けれども、それだけでなく、そうした訓練や修行を、哲学の勉強を通じて行って欲しいと思っているのです。もちろん、僕ら哲学教育に携わる人間たちも、そのことを肝に銘じておく必要があると思っています。

少し大学院生向けのお話もしておくと、近くにある課題と遠くにある関心事は研究においても大切だと思います。研究というのは意外と同調圧力が強いんです。「みんながやっているから」とか「いまはこういうやり方をしないとウケないから」とか、そういう圧力がどうしてもかかる。その中で、そもそも自分がやるべきだと思っていたことから逸れていってしまうことがある。だから先ほど述べた、すごく遠くにある関心事というのは、研究においても大切だと思います。それを大切にできていれば、研究においても必要以上にブレないですむ。

大学院生だったら、すぐ近くにある課題というのは、文献を読むとか、投稿論文を締切りまでに書くとか、そういうことです。それには全力で取り組まないといけない。でも、その中で、ものすごく遠くにある自分にとって大切なことを忘れてしまったら、どうしても同調圧力に負けていくことになってしまいます。もちろん、軽く今のトレンドに合わせたフリをするというやり方もありうるし、それはたまには必要だと思いますが、自分を見失わないためには、ものすごく遠くにあって、ボンヤリしている関心事を大切にすることが必要です。

ものすごく遠くにあるボンヤリした関心事とものすごく近くにある課題を大切にする。その間のことはなかなか思うようにはならないと分かっておく。かなり人生論的な話ですけれども、これが今日、僕が若い人たちにお伝えしたいことの一つです。

ある哲学者の警鐘

さて、本題に入っていきましょう。先ほど、哲学では問いを立てることが大切であるという話をしました。このコロナ危機でも、そうした営みが世界中の哲学者によって行われました。その中で、大いに物議を醸した人がいます。今日はその人の議論を紹介しながら、そこから考えられる様々な問題について考えてみたいと思います。

その哲学者は名をジョルジョ・アガンベンといいます。現在、世界で最もその名を知られている哲学者の一人であり、イタリア人です。僕はこの人の授業を受けたことがあって、授業の後、受講生たちと一緒に飲みにも行くことができました。結構お酒が好きな人で、みんなで歩き回りながら店を探したんですが、アガンベンが何度も「この店はやめよう」と言うので、あちこち探し回った挙げ句に店が決まるなんてこともありました。とてもいい思い出です。僕自身、アガンベンの著書にも大きな影響を受けていますが、ご本人もとても面白くて感じのよい方でして、大好きな哲学者です。

そのアガンベンがコロナ危機で、ある騒動に巻き込まれます。彼が発表したコロナについての論考が、今のネットスラングで言うところの「炎上」騒動を起こしたのです。コロナ危機については世界の著名な哲学者が様々な反応を示しましたが、その中で間違いなく最も物議を醸したのがアガンベンの論考です。

アガンベンの問題提起

二〇二〇年、世界中でコロナウイルスが蔓延していきましたが、イタリアは早い段階で多くの感染者を出し、大きな被害を受けた国の一つです。今では最悪の状況は脱したようですが、当初は危機的でした。その最中、二〇二〇年二月二六日、アガンベンはイタリアの新聞「イル・マニフェスト」紙に、「根拠薄弱な緊急事態によって引き起こされた例外状態 Lo stato d'eccezione provocato da un'emergenza immotivata / The state of exception provoked by an unmotivated emergency」というタイトルの論考を発表します（現在は「エピデミックの発明」というタイトルで次の本に収録されています。『私たちはどこにいるのか？——政治としてのエピデミック』高桑和巳訳、青土社、二〇二一年。

以下、アガンベンからの引用は基本的にこの高桑さんの翻訳を使用しますが、一部、僕自身が訳した場合もあることをお断りしておきます）。

新聞に掲載したものですから、非常に短い論考です。冒頭部分を見てみましょう。アガンベンは、コロナウイルスの拡大を防ぐという理由で実施されている緊急措置は、「平常心を失った、非合理的で、まったく根拠のないものである」（同書、一九ページ）と指摘し、イタリア学術会議という専門家集団の声明を引用しています。その声明によれば、「集中治療室への収容を必要とするのは患者の四％のみという計算になる」。にもかかわらず、「激しい移動制限」が行われ、「正真正銘の例外状態」が引き起こされている。つまり、「根拠薄弱な緊急事態」を理由に、甚大な権利制限が行われている。アガンベンはこのように現状を鋭く批判しました。

その問題提起の出発点には、我々がさしたるためらいもなく権利制限を受け入れていることへの疑問があったと思います。仮に、緊急事態と呼ばれているものの緊急性と権利制限の重大さを比べることができたとしたら、そこには何らかの不均衡があるのではないか。「毎年繰り返されるインフルエンザとそれほど違わない通常のインフルエンザであるとイタリア学術会議が言っているものに対するこの措置の不均衡は、火を見るより明らかである」(同書、二二ページ)。

ここでの「インフルエンザ」という言葉の使い方には違和感のある人もいるでしょう。また、当時既にコロナウイルスは多くの感染者を出し、そのために医療機関は逼迫し、医療従事者の方々は大変な苦労をなさっていた。だからその状況をなんとか改善しようと、世界中で緊急措置が実施された。日本でも外出や会合、会食を避けること、職場や学校でのオンラインの活用が推奨された。すべて感染の拡大を避けるためです。その最中にそうした措置を批判したわけですから、大きな反発を招いたであろうことは十分に想像できます。

ただ、しばらく彼の言うことに耳を傾けて、この哲学者がこの論考を発表しながらいったい何を考えていたのかについて一緒に考えていければと思います。

「例外状態」と「伝染病の発明」

アガンベンのコロナ危機に対する態度表明の背景にあるのが、先程現れた「例外状態

lo stato d'eccezione / the state of exception」という概念です。さしあたり、これまでも何度か用いた「緊急事態 emergenza / emergency」と同じような意味で考えてもらって構いませんが、端的に定義するならば、これは行政権力が立法権力を凌駕してしまう事態を指します。もっと柔らかい言葉で言えば、法のようなルールを決めてからそれにもとづいて物事が行われるべきところで、ルールなしに物事が決められていってしまう状態のことです。アガンベンはコロナ危機において「例外状態」が人々によって進んで受け入れられつつあることに危機感を抱いたわけです。

アガンベンはこの概念についてこれまで様々な角度から研究を積み重ねてきた哲学者です。権力は「例外状態」あるいは「緊急事態」というものを巧妙に利用して、民主主義をないがしろにしたり、人々の権利を侵害していくことがある。たとえば、ここ二〇年ぐらいはずっとテロリズムが緊急事態を宣言するための常套手段だった。我々はテロリズムとの闘いという緊急事態の中にいるのだから、例外的な措置も仕方がないというわけです。言い換えれば、テロリズムが我々の自由を脅かしているのだから、自由を守るために、我々は自分たちの自由が制限される緊急事態を受け入れねばならない、と。

このような論法に対するアガンベンの問題提起は極めてシンプルです。自由を守るために自由を制限しなければならない――そんな矛盾が受け入れられるだろうか、というものです。アガンベンはこの後、コロナ危機を巡る論考をいくつか発表するのですが、二〇二〇年四月一三日に発表された「一つの問い Una domanda」という論考は、「善を救うために善を放棄しなければならないと主張する規範など、自由を守るために自由を放棄することを命じてくる規範と同じぐらい間違っているし、矛盾している」という言葉で締めくくられています（同書、八六ページ）。

これに更に次のような疑問も付け加わります。そもそもそうやって制限された自由は、結局、元に戻らないのではないか。緊急事態が明けてしばらくすれば元の状態に戻ると言われている。けれども、制限された権利、あるいはその中で強いられた社会のあり方は、緊急事態が撤回されても元には戻らないのではないか。

そのことを指摘するために、アガンベンは「伝染病の発明 l'invenzione di un'epidemia / the invention of an epidemic」という言い方をしました。これも反発を招いた表現でした。「発明」とは、もちろん、あるウイルスが人工的に作り出されたという意味ではありません。そうではなくて、コロナウイルスの捉え方やそれに対する対処法といった、このウイルスを取り巻くすべての現象が、例外状態の強制を可能にする一つの規範として作り上げられるに至っているという意味です。アガンベンによれば、この「伝染病の発明」は権利制限を拡張する理想的な口実を提供しています。もしかしたら、テロリズムに代わる、「例外状態」を人々に押し付けるための口実として、そうした規範がいつの間にか〝発明〟されたのではないか。

アガンベンという哲学者の保守性

論考が発表された当時、イタリアではコロナで次々に人が亡くなっていました。だからこそ、感染の拡大を防ぐために、外出を控えるようにとのアナウンスがなされていた。アガンベンはその最中にこのような問題提起を行ったわけです。多くの人が「緊急事態」なのだから移動制限も仕方がないと思う中で、いま我々は自ら進んで自分たちの自由と権利に対する制限を受け入れているが、それでよいのかと問うた。

僕はＳＮＳで海外の研究者とも多少つながっていますが、少なからぬ哲学研究者たちがアガンベンを批判していました。「老人は文献学だけやっていればいい」という酷いことを言う人もいた。おそらくそうした反応が出てきた背景には、なぜアガンベンのような哲学者がこんなことを言うのかという驚きがあったのだと思います。もう少し踏み込んで言ってしまえば、左派系の哲学研究者たちが彼に失望していたのです。

僕はそれを見ていて、アガンベンという哲学者が全く理解されていなかったんだなと思いました。この人ならば当然そう言うだろうというのが僕の感想でした。だからネット上の反応を冷ややかに見ていた。アガンベンの思想にはどこか保守的なところがあるとずっと思っていたからです。つまり、今回のこの「炎上」騒動は、思想における左派と右派の対立をどう捉えるかという問題ともつながってくることになります。

アガンベンの思想は左派的であるとどうやら思われていたようだし、実際、彼の思想は右派的——たとえば国家主義的であるとか権威主義的であるとか言った意味で——ではない。だが、実際には、彼の思想にはある種の保守性が厳然として存在している。にもかかわらず、この保守性がこれまでうまく理解されてこなかったのはなぜか。

コロナ危機におけるアガンベンを巡る騒動は、実は、現代における思想の位置づけを巡る問題でもあります。単に一人の哲学者が、場合によっては失言とみなされるかもしれない発言をして騒動を招いたというだけならば、別に取り立てて論ずるには値しません。しかし、ここには、不祥事と言って片付けることのできない問題が見出されるのです。「保守性」を今日においてどう考えたらよいだろうかという問題と言ってもよいかもしれません。

第二の論考

ネット上の反応を見ている限りでは、アガンベンは窮地に追いやられていました。しかし、本人は多少イヤな思いをしたかもしれませんが、その主張は揺るぎませんでした。その証拠に、二月二六日の最初の論考に続いて、三月一七日には「補足説明Chiarimenti」と題された二つ目の論考を発表しています(「説明」同書、三三～四七ページ)。これはまさしく「補足説明」と呼ぶべき内容であり、アガンベンが最初の論考では十分に説明し切れなかったことを非常に細かく説明しています。最初の論考と同じく非常に短いものですが、論点が明確になっており、その意味で極めて重要なものです。

先ほど、我々はコロナ危機において権利制限を進んで受け入れてしまったと言いました。アガンベンによれば、それは我々が緊急事態において生きることに慣れてしまっているということに他なりません。だとしたら、その際に重要なのは、「病の重大さについて意見を述べることではなくて、この伝染病がもたらす倫理的そして政治的な諸々の帰結について問うこと」だとアガンベンは断言します。この一文は書籍に収録された際には削除されたようですが、極めて重要な一言であると思います。

何か大きな事態が起こると、人はそれについて「意見」を抱き、場合によってはそれを口にします。意見というのは、最初にも述べましたが、基本的には賛成か反対かということです。「こうすべきだ」「ああすべきだ」という意見が世の中を——現在ならばネット上を——飛び交うことになる。

我々が意見を交わし合うことの重要性はどれだけ強調しても強調しすぎることはありません。また、意見が表明できないということは絶対にあってはならない。それは言うまでもありません。

けれども、意見が飛び交う中で、実は忘れられている営みがあるのではないか。それは問うことであり、考えることです。意見を述べることと、問うたり考えたりすることは別です。もちろん、意見を述べることが問うことや考えることにつながる場合もありますし、それはとても望ましいことです。ですが、意見を述べ、ある事象について反対か賛成かの態度表明をすることが、それ以上ものを考えるのを妨げてしまう場合がしばしばあります。特に現代のネット社会はその傾向が強くなっていると言えるでしょう。意見を表明すると、それに対する強い賛成と強い反対が集まりやすいので、そこから更にその事柄について考えるのが難しくなってしまうのです。

コロナ危機についてアガンベンが問うべきだ、考えるべきだと述べているのは、この事態がもたらす倫理上および政治上の帰結です。人間の生き方や政治のあり方がいま問われているのに、その問いが発せられていないのではないか。もちろん、アガンベンの論考を読み、その問いかけを理解した上で、読者の中に最終的にアガンベンとは異なる意見が出てきても少しもおかしなことではありません。けれども、意見を述べるにとどまって問うことがなされないならば、我々は倫理と政治について考えるべきであった何かについて考えずにすませることになってしまうのではないでしょうか。アガンベンは哲学者ですから、その考察に必要な認識を僕ら読者に提供してくれています。僕はそれを皆さんと共有したいと思います。

三つの論点（1）――生存のみに価値を置く社会

アガンベンのこの二つ目の論考は大変密度の濃いものですが、おそらくその中から重要な論点を三つ取り出すことができると思います。まずご紹介したいのは次の一節です。

死者――我々の死者――が葬儀の権利をもたない。大切な者たちの遺体がどうなるのかも分からない。我々の隣人なるものが抹消されつつあるのであって、このことについて教会が黙ったままであるのは奇妙なことだ。誰もいつまで続くか分からないこのような生き方に慣れきってしまった国で、人間の関係はどうなってしまうのだろうか？　そして生存以外にいかなる価値をももたない社会とはいったい何なのか？（同書、三七ページ）

最後の一文が非常に強いインパクトをもって響きます。アガンベンはコロナ危機でその本質を現しつつある現代社会について、それは生存以外のいかなる価値をももたない社会だと指摘しています。生存、すなわち人間が生き延びることは、言うまでもなく大切なことであろうと思われます。間違いありません。その価値を否定するようなことがあってはならない。

けれどもアガンベンがここで目を向けているのは、生存だけが価値として認められるようになってしまうことの問題です。それを説明するためにアガンベンは、「剝き出しの生 nuda vita / bare life」という概念を持ち出しています。これはアガンベンがその初期の著作から追究してきた概念に他なりません。人間の生というものは、いろいろな文化や社会、歴史、伝統の中にあります。そうした生への装飾がすべて剝がされて、「ただ生きている」だけになった生のあり方をアガンベンは「剝き出しの生」と呼びました。先の引用部の直前では次のように述べられています。「私たちの社会はもはや剝き出しの生以外の何も信じていない」(同書、三六ページ)。

こう言ってもよいでしょう。アガンベンは人間が生きるということと、人間がただ生存しているということを区別しているのです。その上で、ただ生存するということを何よりも最優先するのならば、人間が生きているために必要な何かが蔑ろにされはしないかと指摘しているのです。アガンベンは次のようにも述べています。「剝き出しの生──剝き出しの生を失うことへの恐怖──は人間たちを結びつけるものではない。人間たちの目を見えなくさせ、彼らを互いに分離するものである」（同書、三六ページ）。我々は「剝き出しの生」のみを価値として認めるに至っており、その結果、それを失うことを恐怖しているというわけです。

三つの論点（2）──死者の権利

何よりも生存することが最優先であるから、生存のためであったら何を放棄してもいい──そうした社会的傾向の中で、人間は、単に生存しているのではなく生きているのだと言えるために必要な何かを失いつつあるのではないか。その何かの中でアガンベンが強調しているものの一つが死者に対する敬意です。先の引用文では、死者が葬儀の権利をもたないと指摘されています。これは、コロナ危機の中で死者が葬儀を経ることなく埋葬されていった事態を指しています。

もちろん一方でそれはどうしようもなかったことであると言えます。遺体にもウイルスを感染させる可能性があった。また多くの死者が出た地域ではとても葬儀をあげる余裕がなかった。日本でも志村けんさんがコロナウイルスで亡くなった際に、家族も亡くなった志村さんに会えなかったことが話題になりました。それは確かにつらいけれども受け入れざるを得なかったことなのかもしれません。

それに対してアガンベンは、そんなことがあってはならないと言っている。大変印象に残るのは、死者に対して「権利」という言葉が使われていることです。アガンベンは死者の権利について考え、死者にも権利があるのではないかと問題提起している。権利は決して生きている者だけが浴することのできる特権ではない、と。

おそらくアガンベンがそう述べる時の根拠の一つが「隣人」の概念なのでしょう。言うまでもなく隣人とはユダヤ・キリスト教の概念です。アガンベン自身の信仰のことは分かりません。ただ、アガンベンの思想にある種のカトリシズムを読み取ることはできると思います。少なくとも私はそう思って読んできました。隣人愛の思想が踏みにじられつつあるという感触がアガンベンにはある。隣人愛が抹消されつつあるというのに、なぜ教会は黙っているのか。少なくともこの時点ではイタリアのカトリック教会は何かそのことについて声明を発表したりはしていなかったようです。アガンベンはそのことを嘆いている。これはある種の保守主義的な態度表明と言って良いでしょう。

保守主義

保守主義は、最近の日本で言われているような、一部の人々や更には政治家までもが近隣諸国への憎悪をネット等々に書き散らす現象――あれは思想ではなくて現象です――とは何の関係もありません。ここで言うアガンベンの保守主義は、先の引用文の最後の一言、「生存以外にいかなる価値をもたない社会とはいったい何なのか？」へと続いていく思想であり、またあるいは、この一言より導かれる思想に他なりません。

つまりここに垣間見られる思想の背後には、ただ単に生存していること、生命として存続していることよりも価値のあるものの存在が想定されているのです。それを明確に特定することは困難と言わねばなりませんが、敢えて言うならば、それは人間が人間として歴史の中で培ってきた文化であり、たとえば宗教などはその表現の一つであると言えるでしょう。だからこそアガンベンは現状に対して沈黙したままの教会に対して批判を述べているわけです。教会こそは、単なる生存には還元できない、人間が人間として歴史の中で培ってきた文化の価値の守り手ではなかったのか、というわけです。

いま、「人間が人間として歴史の中で培ってきた文化」という言い方をして、「人間」を強調しましたが、それはアガンベン自身が人間同士の関係を気にかけているからです。「誰もいつまで続くか分からないこのような生き方に慣れきってしまった国で、人間の関係はどうなってしまうのだろうか?」(傍点は引用者)。確かにどうなってしまうのでしょうか。死んだ人間に然るべき敬意を払わない社会においては、生きている人間たちの関係もだんだんとおかしくなっていくのではないでしょうか。つまり、倫理がおかしくなっていくのではないでしょうか。死んだ者たちへの敬意の喪失は、歴史への畏怖の喪失へとつながり、これまでに先人たちが積み上げてきた価値への無関心へとつながるのではないでしょうか。そうなってしまった時、果たして政治など可能でしょうか。これまでに人間が築きあげてきた価値への敬意なくして政治など可能でしょうか。そこに残るのは、「今」しかない、ペラッペラの単なる人間管理だけではないでしょうか。まさしく、「倫理的そして政治的な諸々の帰結について問うこと」が求められていると言わねばなりません。

考えることの危険と哲学すること

しかし、言うまでもなく、ここには危険があります。「人間が単に生存することよりも価値のあるもの」と言った瞬間、我々は危険を感じますし、感じなければなりません。二〇世紀を経験した我々は、人間が大義とみなされたもののために死ぬことを強制された事実を知っています。それには何としてでも対抗しなければならない。そんなことがあってはなりません。けれども、だからといって、生存のみを価値として認める社会が当然のこととして受け入れられてしまってよいのか。アガンベンは今指摘した危険のすぐ脇でものを考えています。というか、ものを考えるということはしばしば危険と隣合わせであり、もしかしたら、何事かを考えていると言えるのは、考えることの危険に向き合った時であるとすら言えるかもしれません。

だとしたら、「哲学者」というのは、考えることの危険と向き合ってきた人々の別名かもしれません。哲学は古代ギリシアの時代に始まりましたが、その時代の有名な哲学者にソクラテスがいます。若者をたぶらかし、邪神を信仰したという理由で、ソクラテスは裁判にかけられ、死刑になってしまいました。これは大変有名な事件ですね。師を死刑で失ったプラトンはソクラテスの言動を書き残すようにして言葉を綴り、それがいま我々の知る、書物としての哲学の原型になりました。ソクラテス自身は、孔子やブッダ、イエスと同じく自分自身では何も書き残さなかった人です。

ある意味では、哲学の出発点には死刑がある、ソクラテスの死刑の衝撃によって哲学は始まった、とも言うことができます。プラトンは多くの著作を残していますけれども、以上の経緯を考えると、彼は哲学しながらも国家権力によって殺されないためにはどうすればよいかという問題に取り憑かれて哲学していた人だったように思います。何の準備もなく、何の警戒も用心もなく、真理の追究だけをしていたら権力によって殺されてしまう。そのような衝撃的な経験をもとに哲学を始めたのがプラトンであるからです。

社会の虻として――哲学者の役割

そのプラトンの著作に『ソクラテスの弁明』があります。この本は裁判でのソクラテスの演説を書き留めたものです。もちろん録音していたわけではありませんから、どれだけ正確であるかは分かりませんし、プラトンの著作は後期になるにつれソクラテス本人の思想というよりはプラトン自身の思想を書き留めたものに変わっていくと考えられているのですが、この本はソクラテス自身の演説をかなり忠実に書き写したものであろうと思います。

その中でソクラテスが自分自身の哲学者としての役割のようなものを語っています。次の一節です。

わたしは、何のことはない、少し滑稽な言い方になるけれども、神によってこのポリスに付着させられているものなのだ。それはちょうど、ここに一匹の馬があるとして、これは素姓のよい、大きな馬なのだが、大きいために、かえって普通よりにぶいところがあって、目をさましているのには、なにか虻（あぶ）のようなものが必要だという、そういう場合に当たるのです。つまり神は、わたしをちょうどその虻のようなものとして、このポリスに付着させたのではないかと、わたしには思われるのです。つまりわたしは、あなたがたを目ざめさせるのに、各人一人一人に、どこへでもついて行って、膝をまじえて、全日、説得したり、非難したりすることを、少しも止めないものなのです（プラトーン「ソークラテースの弁明」『ソークラテースの弁明・クリトーン・パイドーン』田中美知太郎＋池田美恵訳、新潮文庫、二〇〇五年、五一ページ［30Ｅ］。訳語や表記に若干手を加えた）。

哲学者というのは社会（ポリス）にとってチクリと刺してくる虻のような存在であり、チクリと刺すことによって人々を目覚めさせる役割を担っているというわけです。アガンベンはまさしくこの役割を果たしているのだとは言えないでしょうか。考えることにつきまとう危険は人々を恐れさせますし、先に述べた通り、アガンベンの思想が隣合わせている危険に我々は敏感であるべきです。けれども、誰かがその危険と隣合わせのところでものを考えて、問いかけなければならないということもまた事実ではないでしょうか。

蛇は嫌われます。アガンベンも世界中の研究者に嫌われました。けれどもアガンベンとしては、あのようなことを言わずにはいられなかったのでしょう。わざと嫌われるようなことを言ったわけではない。また、人に嫌われること、世間で否定されていることを口にすればものを考えていると言えるわけでもない。ただ、アガンベンという哲学者は、危険のすぐ脇に身を置かざるを得ない問題について考えてきたからこそ、あのように問いかけないわけにはいかなかったのであり、またその危険の一端は多くの人からの反発という形で表現されることになったのです。

三つの論点（3）――移動の自由の制限

以上を踏まえつつ、三つ目の論点に移りましょう。ここまで僕は何度も「権利制限」という言い方をしてきましたが、コロナ危機をめぐるアガンベンの一連の論考が優れているのは、いろいろな権利が制限されることに漠然と警鐘を鳴らしているのではなくて、ある一つの権利あるいは自由に焦点を絞っているところです。その自由とは移動の自由に他なりません。

より深刻なエピデミックは過去にもあったが、だからといって今回のような、私たちの移動まで阻止する緊急状態を宣明しようと考えた者など誰もいなかった（「説明」『私たちはどこにいるのか？』前掲書、三七〜三八ページ）。

表現の自由、信教の自由、学問の自由、結社の自由、職業選択の自由……我々の社会は実に多くの自由を権利として認めることで成り立っています。一見したところ、移動の自由はいま言及した自由に比べるとどこか地味な印象があるかもしれません。しかし、掘り下げて考えていくと、移動の自由は決して数ある自由のうちの一つではないことが分かってきます。

まず一つの事例から考えてみましょう。移動の自由という時に僕がまず思い出すのは、一九八〇年代末に起きた東欧の民主化革命の象徴的な先駆けとなったベルリンの壁崩壊です。

少し調べてもらえればすぐに分かるのですが、ベルリンの壁崩壊という世界史的な出来事は当時の東ドイツ政府内のちょっとした連絡ミスがきっかけで起こっています。当時、東ドイツ国内では旅行の自由、移動の自由を求める人々の願いが非常に高まっていました。それを受けて東ドイツ政府はこの自由をある程度認める方針を固めていた。ただし、許可には条件も付されていたし、すぐにそれを認めるというわけでもなかった。ところが首脳陣の一人が記者会見で誤って、旅行の自由を認める政令は直ちに施行されますと発表してしまった。その結果、検問所には人が溢れかえり、門を開かざるを得なくなった。そしてその晩のうちに、今でも我々がよく映像で目にする、ベルリンの壁に人々がよじ登ってツルハシで壁を壊すあの象徴的な場面が実現されました。

ベルリンの壁崩壊のきっかけは偶然によるものでした。そして歴史を動かす力学というのは実に複雑なものであって、その動因をなにか一つに還元することはできません。しかし、だとしても、この偶然によってベルリンの壁が崩壊するに至った背景に、当時の東独の人々の旅行および移動の自由に対する渇望があったことは間違いありません。自由に自分の国を出て、いろいろなところに行ってみたいという気持ちが確かに歴史を動かしたのです。

僕はベルリンの壁崩壊を描いたドキュメンタリー映像で、検問所が開くのを今か今かと待っている東ベルリンの市民の一人が発した言葉が忘れられません。「私は別にこの国を立ち去りたいわけではない。ベルリンの西側にすこし散歩をしに行きたいだけだ。夜には戻ってくる」。過激でも特別でもない、ありきたりの願いです。しかしこの移動を願う気持ちは人を強く動かすのです。なぜならば、移動の自由を制限されることは、人間にとって極めて重大な帰結をもたらすからです。

支配の条件

移動の自由が人間にとって重要であり、その制限が極めて重大な帰結をもたらすのはなぜなのかをやや哲学的に考察してみましょう。これは支配の問題と関わっています。物騒な話になってしまいますが、どうすれば人間が人間を支配することが可能になるでしょうか。支配をここでは、ある人間が別の人間を継続的に自らの思うがままに行為させられることと理解しておきましょう。たとえば、自らは動くことなく、いつも誰かに食料の調達をさせているのならば、そこには支配が発生しています。では、そのようなことはいかにして可能でしょうか。

物騒な話が続きますが、暴力を振るって相手を物理的に動けなくすることはできます。拳で殴って動けなくするのは暴力ですし、縄で縛って動けなくするのも暴力です。しかし、これでは、自らの思うがままに相手に行為させることができません。暴力は相手を支配する最大の手段のように見えます。しかし実は単に暴力を使うだけでは相手を支配することはできないのです。

一度ぶん殴って相手を恐怖させれば、その後は自分の言うことを聞かせられると思われるかもしれません。実際、そうしたことはしばしば起こるため、暴力は支配のための最大の手段と思われています。しかし、この考えには大きな難点があります。一度ぶん殴って相手を恐怖させたとしても、相手にその場を立ち去る能力と可能性が残されていたならば、支配が成立しないということです。簡単な話です。相手は逃げてしまうからです。自由に移動ができる限り、暴力だけでは相手を支配することはできないのです。

ルソーの自然状態論

支配を巡るこの議論を組み立てるにあたって僕が参考にしているのが、ジャン＝ジャック・ルソーの自然状態論です。ルソーは『人間不平等起原論』において、国家が存在しない自然状態なるものを仮定し、どうしたらこの状態において人間が人間を支配することができるかについて考察しています。ルソーはこんな風に述べています。

一人の人間が他の人間のちぎった果物や、その殺した獲物や、その隠れ場となっていた洞窟を横取りするようなことはできるだろう。けれどもその彼がその人間をどうやって服従させることができようか。そして何も所有しない人々の間にいかなる従属関係の鉄鎖がありうるだろうか。もし私が一つの樹から追われるなら、それをすててほかの樹へ行きさえすればよい。もし私が或る場所で苦しめられるなら、ほかの場所へ移るのをだれが妨げるだろうか（ルソー『人間不平等起原論』本田喜代治＋平岡昇訳、岩波文庫、一九七二年、八二ページ）。

ルソーはちょうどこの引用箇所のあとで、もし誰かが私を支配しようとするならば、私のことをずっと監視していなくてはならず、それは大変骨の折れることだろうと言っています。そうなったら、支配どころではありません。

つまり、自然状態では支配の関係が成立しない。ならばどうすれば支配が成立するのか。ルソー自身は人間が作り出した所有の関係が支配の根底にあると考えました。ここまでいくと今日の話の範囲を逸脱してしまいますから、ルソーへの言及はここまでやめておきますが、重要なのは、仮に所有によって支配関係が成立したのだとしても、移動の自由さえあれば、そこから逃れることは可能だということです。所有関係が移動を様々な意味で妨げることがあるのかもしれない。だとしても、移動の自由が支配と服従から逃れる可能性の根本であることに変わりはありません。

支配の複雑性

近年、「ブラック企業」という言葉をよく耳にするようになりました。また、「過労死」が「Karoshi」として英語になっているとも聞きます。ここにある問題は家庭内暴力、ＤＶに似ています。移動の自由は権利としては認められているのだけれども、様々な経緯や条件によってその人が精神的に支配されてしまい、そのためにそこから逃げ出すことができなくなってしまっているのです。ですから、単に移動の自由さえ権利として認められていれば不当な支配の問題がなくなるわけではありません。支配の問題は複雑です。ただ、移動の自由が権利として認められていることは、不当な支配に対抗するための最低限の条件であるわけです。

カール・マルクスの『資本論』に興味深い事例が出てきます。当時一九世紀のイギリスの資本家にピール氏という人がいて、他の資本家同様、労働者をこき使っていた。そのピール氏が当時まだイギリスの植民地だったオーストラリアのスワン・リヴァーに、労働者や召使いを連れて移住します。オーストラリアはまだ土地もたくさん余っていて資源も豊富にある。生産力も資本も倍増できると目論んだのでしょう。

しかし『資本論』には、オーストラリアに引っ越した翌日、ピール氏には、労働者はおろか自分の身の回りの世話をする召使いすらいなくなったとあります。「ピール君は、そのほかに労働階級の男女と子供三〇〇〇人を同伴したほど周到だった。目的地に着いた時、「ピール氏には、彼のために寝床を用意したり、河から水を汲んだりする一人の召使もいなかった」。何もかも用意しながら、イギリスの生産関係をスワン・リヴァーに輸出することだけは忘れていた不幸なピール君！」（カール・マルクス『資本論』向坂逸郎訳、岩波文庫、一九六九年、第三分冊、四二〇ページ）。

いかにもマルクスらしい意地悪な書き方で思わず笑ってしまいますけれども、いったい何が起こったのかお分かりいただけるでしょうか。オーストラリアへ行ったら、こんな資本家に従っている必要はなくなったというわけです。いくらでも土地は余っているし、そこで好きなことを自分でやればいい。資本家に従わなくてもよい客観的な条件が現地には揃っていたわけです。マルクスはイギリスにいた時点で「ピール君」の支配を可能にしていたものを、「イギリスの生産関係」と呼んでいます。この生産関係は先に述べた支配の複雑さに対応するものです。

マルクスが紹介したこの事例では、歴史的経緯によって都市部に労働者層が作り上げられているとか、彼らには職業選択の自由があってもそもそも選択肢が少ないとか、移動の自由が権利としてあっても実際には移動が難しい社会的な諸関係や諸事情が支配の複雑さを作り出しています。けれども、オーストラリア移住という思いも寄らない原因によってそれが変更された時、人々は移動の自由を行使したというわけです。

移動の自由と刑罰

移動の自由さえあれば、人間は様々な抑圧から逃げることがすくなくとも可能ではある。抑圧してくるものを打ち倒すことまではできなくても、それを避けることはすくなくとも可能ではある。移動の自由は人間が不当な支配を逃れて自由に生きるための根本条件になっていることが分かります。このような移動の重要性は、逆に、それを制限することを罰としている近代の刑罰からも考えてみることができます。

死刑を廃止している国は数多くありますが、仮に刑罰における一番重いものを死刑だとすると、一番軽いものが罰金刑。では、その二つの間の非常に大きな領域をカバーしているのは何かというと、移動の自由を制限する刑罰であるわけです。すなわち、刑務所への収監ですね。この刑罰が最も広い範囲の刑罰に当てられているという事実は、移動の自由の制限こそ、人間にとって最もきついことであるという考えが前提になっているのかもしれません。とはいえ、事態はここでもやや複雑なので、すこしだけこの点について話をしておきましょう。

刑罰の歴史についてはミシェル・フーコーの『監獄の誕生――監視と処罰』（田村俶（はじめ）訳、新潮社、一九七七年）が参考になります。近代以前は実に様々な形態の刑罰がありました。死刑ももちろん存在していたわけですが、フーコーが主に論じているフランスについて言えば、死刑は裁判官が書いたまるで演劇のようなシナリオに基づいて行われました。たとえばパリのノートルダム大寺院の前に囚人を連れて行って公衆に謝罪させ、その後、四肢を熱したやっとこで懲らしめたあと、その傷跡に溶かした鉛や煮えたぎる油を注ぎ、その後、四頭の馬に引かせて体を八つ裂きにするといったホラー映画さながらのシナリオで刑が執行されていた。同書の冒頭ではその一例が詳細に紹介されています。

ところがこのようなあまりに残酷な刑に対して批判の声が上がり始めます。一八世紀末のことです。そこで刑罰の改革者たちが様々な刑罰方法を考えます。現在でも死刑廃止論者として有名なイタリアの法学者チェーザレ・ベッカリーアが活躍したのもこの頃です。ただし、一般に考えられているのとは裏腹に、彼ら刑罰の改革者たちはヒューマニズムから残酷刑に反対したのではないというのが『監獄の誕生』という本の衝撃的な論点の一つです。残酷刑はあまりにも効率が悪い、これでは人々に犯罪を思いとどまらせるには不十分であるという考えから改革者たちは刑罰の改革を唱えていたのだということをフーコーは厖大な文献資料を渉猟しながら証明しました（同書、第二部第一章）。

興味深いのは、この頃、監獄に閉じ込めるという手段は刑罰ではないと考えられていたという点です。監獄の役割は人を閉じ込めることであって、人を罰することではないというのは当然の原則と考えられていました（同書、第二部第二章）。ところが、不思議なことに、刑罰の中心は監獄になっていきます。一九世紀になると残酷刑は姿を消します。また、改革者たちは多種多様な刑罰を考えていたのですが、それらもまったく顧みられなくなります。

日本国憲法における移動の自由

実はフーコーの『監獄の誕生』は、なぜ監獄が刑罰の中心に据えられることになったのかの理由については一言も述べていません。フーコーは刑罰を巡る歴史を詳細に描写し、刑罰を巡る権力の戦略がどのように変化してきたのかを述べているだけです。ですから、どうして移動の自由の制限がこれほど重視されるに至ったのか、その理由はよく分からないのです。ただ、近代、正確には一九世紀以降の法体系がそのような方向に進んだことは事実です。大雑把なことを言うならば、先にも指摘した通り、移動の自由の制限こそが人間にとって最も苦しい罰になることに、社会がだんだんと気づいていったということなのかもしれません。

その点で参考になる話を先日、東京大学法学部の石川健治先生と対談した時に伺いました。私は今お話ししているアガンベンの議論を紹介したのですが、移動の自由という論点について、石川先生は明治憲法から話を説き起こされました。まず大前提として、江戸時代には移動の自由がないんですね。勝手に住居を移転したりはできない。それに対し明治憲法ではどこで経済活動をしてもよいことが明示され、移動の自由が認められた。これが自由権の思想において極めて重要であったというのです。

現行の日本国憲法では、それが基本的人権や幸福追求権など、いささか抽象化された表現に変わっているので見えづらいけれども、そうした権利も、遡れば移動の自由に行き着くということを石川先生はおっしゃっていた。僕はこの話を伺って、思わず膝を打ちました。日本の憲法も自由の根幹に実は移動の自由を置いている。これはあくまでも日本国憲法の話ですけれども、これを近代の憲法思想の一つの表現と考えるならば、刑罰の中心を移動の自由の制限に置くことの意味も見えてくるように思います。

政治家と哲学者――メルケルとアガンベン

移動の自由の重要性を強調するために随分と遠回りしましたが、この自由を、単に数ある自由のうちの一つとして片付けるわけにはいかない理由がお分かりいただけたのではないかと思います。アガンベンが移動の自由にこだわったことの背景にも、このような理由があると思うのです。移動の自由の制限というのは途方もない権利制限である。ところが、それがあまりにも易々と受け入れられているのではないか。アガンベンはそう訴えた。確かに命を守るために移動の自由を制限することは必要だったかもしれないと僕も思います。けれども、そのことに何の疑問も呈されないのはおかしいのではないか。

このことを考えると思い出すのは、ちょうど同時期に行われたドイツのメルケル首相（当時）のスピーチです。大変話題になったスピーチですので、知っている人も多いかもしれません。メルケルはコロナ危機に立ち向かうために、どうしても移動の自由の制限が必要であることを国民に訴え、次のように述べました。

私は保証します。旅行および移動の自由が苦労して勝ち取った権利であることを実感している私のようなものにとっては、このような制限は絶対的に必要な場合のみ正当化されるものです。そうしたことは民主主義社会において決して軽々しく決められるべきではなく、一時的にしかゆるされません。しかし、それは今、命を救うために不可欠なのです（林フーゼル美佳子訳、ウェブサイト「Ｍｉｋａｋｏドイツ語サービス」で公開されている日本語訳より）。

メルケルは東ドイツの出身です。引用部の冒頭で語られている「実感」には、旅行および移動の自由を求める人々の思いがベルリンの壁崩壊へとつながっていく過程を目にした彼女自身の想いが込められているのでしょう。メルケルが単に「移動の自由」ではなく、「旅行および移動の自由」と述べているところにもそれが読み取れます。ベルリンの壁の崩壊直前の東ドイツで問題になっていたのは、単なる移動の自由ではなくて、旅行および移動の自由だったからです。

旅行および移動の自由がどれほど貴重な権利であるかを骨身にしみて分かっているメルケルは、スピーチの中でこの権利を「民主主義社会」と結びつけた。この「民主主義社会」という言葉にも、我々が日常的に耳にするそれとは全く異なる強い意味が込められていると考えねばなりません。メルケルは旅行および移動の自由が認められていなかった非民主主義的な社会を知っているのです。民主主義的であることは旅行および移動の自由と切り離せないことを体験している。だからこそ、その制限は軽々しく決められてはならないと確信を持った言葉で国民に訴えることができた。

僕はこのメルケルのスピーチとアガンベンの論考は呼応していると思います。メルケルは政治家です。だから、このように強い確信を語った後で、どうしても今回は移動の自由を制限しなければならないことを分かってほしいと訴えた。それに対してアガンベンは哲学者です。だから、現在我々が移動の自由の制限を易々と受け入れつつあることに強い言葉で警鐘を鳴らした。自分たちの権利を進んで放棄しつつあるように見える我々に虻のようにまとわりついて、嫌がられながらチクリと刺した。メルケルは政治家としての役割を果たした。アガンベンは哲学者としての役割を果たした。ここには、自分の役割を確信を持って果たしている二人の立派な大人がいると僕はそう感じます。

アンティゴネ、そして見舞うという慈悲

アガンベンのコロナ危機を巡る一連の論考の根底にある考え方を、以上である程度はお分かりいただけたのではないかと思います。ここまでの話を踏まえた上で、最後に、二〇二〇年四月一三日に発表された「一つの問い」という論考を見ておきましょう。非常に短いものです。アガンベン自身も徐々にもやもやしていたものの正体が分かってきたようで、途中で論点が箇条書きされるなど、主張が非常に分かりやすく提示されています。言い換えれば、どこまでアガンベンに同意できるのか、それが我々読み手一人ひ

とりにとって明確に判断できるようになっているということでもあります。つまり、これは人によっては明確に不同意を突きつけるかもしれない文章だということです。
最初の二つの論点は、今までの繰り返しです。

一。第一点はもしかすると最も重大かもしれない。それは死んだ人たちの身体に関することである。大切な人が、そして一般的に人間たちが、独りで死ぬのみならず、その死骸が——アンティゴネから今日にいたるまで、歴史上かつて一度も起こったことのないことだが——葬儀もされずに燃やされる。そのようなことを私たちは、ただ明確化できないリスクなるものの名のみにおいて、受け容れることができてしまった。それはどのようにしてなのか?

二。次いで私たちは、ただ明確化できないリスクなるものの名のみにおいて、自分たちの移動の自由を制限することを、それほど問題ともせずに受け容れてしまった。この制限は、この国の歴史上かつて一度も、二度の世界大戦の最中にさえ起こらなかった規模でなされている（戦争中の外出禁止は時間が決まっていた）。私たちはその結果、ただ明確化できないリスクなるものの名のみにおいて、交友や愛に関わる諸関係を事実上宙吊りにすることを受け容れた。隣人はありうべき感染源になってしまったからである（「二つの問い」『私たちはどこにいるのか？』前掲書、八〇～八一ページ）。

第一点目で言及されているアンティゴネは、オイディプスの娘である同人物を描いたソフォクレスの悲劇作品を指しています。そこでは、国家に対する反逆者とされて葬儀も埋葬も禁じられた兄ポリュネイケスの遺骸を、何としてでも正式に埋葬しようとして、自らの命をかけるアンティゴネの姿が描かれます。しばしば、埋葬にそこまでこだわるアンティゴネの欲望は不可解であると言われます。しかし、アガンベンによれば、ここに描かれた死者に対する敬意にこそ、人間が人間であることの、或る譲れない線があるのだということになるのでしょう。

第二点目の移動の自由については、自由権よりも、交友や愛、そして隣人のことが強調されています。ここでも再び教会が批判されていて、教会は人間の尊厳の見張り番であるはずなのに、「いまや現代の真の宗教となった科学に侍女として仕え」ていると述べられます（同書、八四ページ）。感染症について語る「科学」は、現代においてむしろ宗教のようになっているのではないかという指摘が印象的です。つまり、疑いを挟んではいけない最高の規範を作り出すのが、現代では科学になってしまっているということなのでしょう。

アガンベンは教会に対する批判に続けて、次のような胸を打つ言葉も記しています。「教会は、慈悲のおこないの一つに病者を訪ねるということがあるのを忘れてしまった」（同書、八四ページ）。確かにコロナ危機の中で病者を見舞うことは難しい。しかし、それを避けるようにと指示してくる「科学」に対して、アガンベンは真っ向から異を唱えているわけです。

皆さんはアガンベンのこの強い主張をどう思われるでしょうか。もちろん、医療現場で大変な苦労をされている方々のことをどう思っているのかと批判することもできます。私はアガンベンがそのように批判されることがあってもそれはおかしなことではないと思います。ただ、立ち止まって、「こういうことを言うと誰かにこんな風に非難されるかもしれない」と怯える気持ち――ネット社会を支配している気持ち――を一度脇において、アガンベンという哲学者の主張について考えてみてもらいたいのです。

殉教者と教会の役割

このように述べるアガンベンの思想の背後にあるのは、先に紹介した、生存のみを価値と認める社会に対する違和感であり、それをはっきりと述べたのが箇条書きにされた最後の論点になります。アガンベンはそこで、「生の経験の単一性」が分割されてしまったという言い方をしています。「身体的な生の経験と精神的な生の経験はつねに、互いに分離できないしかたで一つにまとまっていたが、私たちはそれを、一方の純粋に生物学的な実体と、他方の情感的・文化的な生とに分割してしまった」(同書、八二ページ)。人間が人間として生きているとは、ただ単に生存していることとは違う。ただ生存しているからといって、その人間が人間として生きているのだと言うことはできない。これは言い換えれば、人間が人間として生きていることから、生存だけを取り出すことなどできないということです。ところが、現代社会では、生存だけを取り出して、「精神的な生の経験」無しの「身体的な生の経験」を考えることが当たり前のようになってきている。アガンベンはそこで前提とされている「純粋に生物学的な実体」へと人間の生が還元されることを断固として拒否しているわけです。

アガンベンの思考がまたしても危険とすれすれのところで展開されているのが分かると思います。アガンベンは自分が考えていることを包み隠さずにはっきり述べようと決意したかのように、次のような言葉をも残しています。「信よりも生を犠牲にする用意がなければならないし、隣人を捨て去ることは信を捨て去ることを意味するという殉教者たちの教えを教会は忘れてしまった」（同書、八四ページ）。

殉教者、つまり信仰のために命を捨てた人たちに、ここで言及するべきだったのかどうか、評価が分かれるところだと思います。とても簡単には肯定できないことが述べられているのは間違いない。

ただ、こんな風にも考えられるのではないでしょうか。教会は信よりも生を犠牲にする用意がなければならない。但し、誰もがそうであるべきではないが、と。つまり、教会には教会の役割があるけれども、もちろんそれは万人の役割ではない。誰もが同じように振る舞わねばならないわけではないのだから、教会は教会の役割を果たせばいい。

にもかかわらず、なぜ教会は科学に侍女として仕えているのか。なぜ、まるで全体主義下にあるかのように、様々なカテゴリーに属する人や集団が全く同じ方向を向いているのか。

このような解釈の可能性を提案するのにはわけがあります。アガンベンはここで、教会と並んでもう一つ、自らの役割を果たさなくなっているカテゴリーがあると述べているのです。それが法律家というカテゴリーです。

行政権力とは何か

アガンベンがそれを指摘するにあたって取り上げているのは行政権力の問題です。行政権力が緊急政令によって、権力分立という民主主義の原則を事実上の廃止に追い込み、もはや立法権の代わりとなりつつある。それにもかかわらず我々は、緊急政令が無思慮に利用されるこの事態、つまり例外状態に「以前から慣れきってしまっている」（同書、八四ページ）。法律家たちはなぜそのことを指摘しないのかとアガンベンは強い口調で批判します。

教会には教会の役割があるように、法律家には法律家の役割がある。たとえ法律家の出す結論が、広く受け入れられているコロナ危機への対応策と相容れないものになろうとも、法律家は法律家である限り、その役割を果たさなければならないはずだ。ところで、いま例外状態が広く受け入れられている。それに対してその異常さを指摘するのが法律家の役割ではないのか。なのに、なぜ法律家たちはこの例外状態について沈黙したままなのか。——アガンベンの述べているところを敷衍すれば以上のようになります。

今日の講義のタイトルになっている「新型コロナウイルス感染症対策から考える行政権力の問題」に、ここからようやく入っていくことができます。まず、行政権力についてすこし原理的な話をしておきましょう。

行政権力、行政権、あるいは行政とはなんでしょうか。行政を行っているのは市役所や県庁などの役所であり、そのトップが政府です。行政を端的に定義するならば、法律によって定められた業務を行う機関と言うことができます。法律によって定められたというところがポイントで、行政は基本的に法律で決められたことしか行えません。日本ならば国権の最高機関として国会があり、国会が国の唯一の立法機関として立法権を持っています。立法権によって定められた法律に基づいて、役所などの行政機関は行政を行うことになっている。つまり、役所のような行政権の担い手は、立法権に従う位置に置かれているわけです。立法権はその意味で行政権に対して優位にあります。だからこそ、主権者である国民は、立法権の担い手である国会の構成員、すなわち国会議員を選挙で選ぶことができるわけです。立法権には役所のような行政権の担い手を管理し、束縛する役割が期待されていると言ってもいいでしょう。

皆さんもご存じの通り、三権分立という有名な原則があります。権力を数個の機関に分散させる権力分立の考えに則って、立法と司法と行政の三つの権力の独立を求める原則です。当たり前のことのようにも思えますが、今説明した立法権と行政権の関係から見てみると、この原則にはなかなか興味深いところがあります。立法権は行政権に対して優位に置かれているのだとしたら、立法権と行政権は互いに独立しているだけでなく、行政権が立法権に従属する関係にあると考えられます。司法権の独立の必要性というのはある意味では最も理解しやすいことで、法律的な裁きの公正性を保つために、裁判所をあらゆる権力から独立させるということですね。しかし、立法権と行政権の関係はなかなかに複雑です。

行政権が立法権を超える時

なぜ立法権と行政権の分立を言う必要があるのか。それは実は行政権が非常に強力であるからです。確かにルールを定めることのできる立法権は強力です。そして原則的にはこの強力な権力に行政権は従属している。行政はその意味では単なる執行機関に過ぎないとも言える。

しかし、法律で定められることには実際には限界があります。たとえば、公共の建物についての法律を作ることはできます。けれども、その法律で建物一つひとつの場所や形を定めることはできません。外交についての法律を作って、誰が外交の責任者であるのかを定めることはできます。けれども、外交の内容を法律で定めることはできません。そうやって考えていくと、現場で個別案件を一つひとつ処理していく行政には、実は大きな決定権があることが分かってきます。行政は法律によって決められた内容をただ粛々と実行しているだけではない。立法が決定して、行政が実行するだけではない。行政は様々なことを決定しているのです。

ここには法律というものがもつ原理的な困難が現れています。法律は一般的な内容を定めることしかできません。ですから、個別的な内容はそれを実施する現場で決定されることになる。更に、法律は文章ですから必ず解釈の余地があります。機械的に適用できる法文などありえません。

さて、現場では様々な事情によって物事が決められていきます。そうすると、どういう事態が想像できますか。立法権によってルールを決めていたはずなのに、行政権の担い手によって、思いも寄らない方向に解釈がなされたり、法律を作った時点では想定もしていなかったことがまるで法律に従っているかのように実施されたりすることが起こりうるということです。

こうして、行政によるその場その場の法解釈や措置が積み重ねられることで、行政権が、事実上、立法権による管理を逃れていってしまう状態が、冒頭より言及している例外状態に他なりません。

ある意味で、例外状態の発生は避けがたいとも言えます。また、例外状態が発生しているかどうかは、白か黒かで判断できるものではなくて、度合いを伴っているとも言えるでしょう。この件については行政権が立法権の手をやや離れてしまっているとか、かなり離れてしまっているとかいったことがありうる。だからこそ、原則が法律家によって絶えず確認される必要があるのです。

アガンベンは次のように訴えています。コロナ危機において甚大な権利制限が行われている。「いかなる法的諸装置によってのことなのか？　永続的な例外状態によってなのか？　憲法の諸規定が遵守されているか確かめるのは法律家たちの任務だが、法律家たちは沈黙している。Quare silete juristæ in munere vestro?〔法律家たちよ、なぜ自分の任務について沈黙しているのか？〕」（同書、八五ページ）。

二〇世紀最悪の「例外状態」

コロナ危機において外出制限などは基本的に各国の政府の決定で行われました。それに対しアガンベンは、そうした決定が憲法に違反しているのではないかと問題提起しています。しかし多くの人達が、緊急事態だからという理由でその点にはもはや関心を持たなくなってしまっている。例外状態に我々が「以前から慣れきってしまっている」。

これは日本においても顕著です。日本でも国民が例外状態に慣れきってしまっている。最も分かりやすい例は、「閣議決定」の当然視です。「これこれのことが閣議決定された」と報道されることがよくありますが、あれは政府の閣僚が集まって方針が決められたにすぎません。閣議決定に法的根拠はない。ところが、マスコミは既にそれによって何か重大な案件が決定されたかのように報道している。そのことに慣れきってしまっているからです。

行政権が立法権の手を逃れていく事態が着実に進行している。では、なぜその事態の深刻さをそこまで強調する必要があるのでしょうか。それはアガンベンのみならず、政治や法律を研究している人ならば誰でも知っている、二〇世紀に起こった例外状態の最悪の事例が存在するからです。それがナチスという事例に他なりません。

教科書などでは、「ヒットラーが一九三三年に独裁体制を確立した」という言い方がなされていると思いますが、これは具体的にはどういうことかと言うと、政府という行政機関を正式な立法機関にする法律が可決されたということなんですね。いわゆる「全権委任法」です。何の前提知識もなければ、そのことの重大さは理解できないかもしれませんが、ここまでの説明を聞いてくださった皆さんにはお分かりいただけるはずです。行政権には強大な権力がある。だからこそ、行政権は立法権に従属するという原則が必要である。確かに法律には限界があるにせよ、なんとかして行政を管理する政治体制が必要である。ところがナチスはそれを乗り越える体制を作ってしまった。

これはある意味では「行政の夢」とでも呼ぶべきものの実現でもあります。行政は常に法律に縛られている。だからそこにはどうしても、「自分たちでルールを決められたらどんなに楽であろうか」という想いが生まれてしまう。行政に携わっている人の誰もがそんなことを考えているわけではありません。ただ、行政は構造的にそのような想いを抱いてもおかしくない位置に置かれている。

ヴァイマル期

では、戦前のドイツでなぜこのような法律が通ってしまったのか。それには前史があります。ナチスが政権を握る前、一九一九年から一九三三年までのドイツの政治体制はヴァイマル共和国と呼ばれますが、その十数年の間、ドイツの政治は混乱を極めていて、議会で物事を決めるということが全くできなくなっていました。議会で物事を決められないのでどうしたかというと、ヴァイマル憲法に定められていた大統領緊急令を使って法律を通すようになっていたのです。さらには内閣や政府官僚に議会が権限を委託する授権法の利用も頻発していました。フランツ・ノイマンという政治学者はナチス体制を同時代的に分析した有名な本の中で、ヴァイマル期のドイツの議会は立法権を独占することに余りにも熱心でなさすぎたと指摘しています（『ビヒモス——ナチズムの構造と実際　1933-1944』岡本友孝他訳、みすず書房、一九六三年、二九ページ）。

その結果どうなったかというと、ヴァイマル期のドイツ国民は、議会が法律をつくらないこと、立法府が立法府としての役割を果たさないことに完全に慣れきってしまいました。その延長線上に一九三三年の「全権委任法」があるのです。つまり、この法律は青天の霹靂ではなくて、それまでのヴァイマル期の政治の帰結であったわけです。

僕らは二〇世紀にこれを最悪の事態として学んだはずでした。行政にフリーハンドを与えてはいけない。立法府である議会が必ず自らの役割を果たさねばならない。そう学んだはずでした。しかしその教訓は今や忘れられつつあるのではないか。アガンベンはナチスの強制収容所についても鋭い研究を残してきた哲学者です。例外状態に対して警鐘を鳴らすアガンベンは、ナチス・ドイツにおいて行政権が立法権を獲得した恐ろしい歴史を常に念頭に置いているはずです。

コロナ危機からナチスまで話を広げるのは大げさだと思われるかもしれません。ただ、ヴァイマル期のドイツ国民もだんだんと例外状態に慣れていったのです。現在の状況についても、結局は何も起こらなかったということになるかもしれないし、もちろんそれが望ましい。けれども、可能性としてそこまで考えておかなければ、後で大変なことになるかもしれない。実際、我々は歴史を通してそのことを知っている。社会の「虻」としてのアガンベンの発言に僕が注目するのもそうした理由からなのです。

改めて三権分立について

最後に三権分立について、もう少しだけ話をしておきたいと思います。先程、三権分立を司法と立法と行政の独立という点から説明しました。実際、皆さんが学校で勉強した際にも、三権分立は権力の独占を防ぐための原理であると教わったのではないかと思います。

ところがこれについてハンナ・アーレントという哲学者が面白いことを言っているのです。彼女によれば、権力の分立という考え方は決して権力の独占を防ぐためだけのものではない。その背景には、権力は権力によってのみ阻止され、しかも同時に侵害されずにすむという考えがあるというのです（アレント『革命について』志水速雄訳、ちくま学芸文庫、一九九五年、二三六ページ）。

たとえば、行政権が行きすぎてしまった時、立法権や司法権によって、それを阻止することが可能である。しかし、行政に対するストップによって行政権そのものがダメになってしまっては困るわけです。立法権と司法権という別の権力によるストップは、行政権の本質を破壊することなく、その行きすぎだけをストップできるというわけです。三つの権力の均衡によるチェック・アンド・バランスこそが、各権力の横暴の阻止と、その健全な行使に資する。この考え方は今日お話ししたことを考える上でも大変興味深いものです。

今日はほとんどお話しできませんでしたが、この観点から見て面白いのは、司法というものの位置です。先月、すなわち二〇二〇年九月一八日に、アメリカの最高裁判所の判事を八七歳までつとめたルース・ベイダー・ギンズバーグが亡くなり、日本でも大きく報道されました。アメリカの最高裁判所の判事は終身制なので、任命されたら、亡くなるか、自ら引退するか、弾劾裁判で罷免されるまでその職を継続します。権力に脅かされずに仕事ができるよう、そのような制度となっている。まさしく権力分立の考えですが、もう一つ、興味深いことがあります。

ギンズバーグが亡くなった時のニュース映像でも何度も映ったと思いますが、アメリカの最高裁判所というのはパルテノン宮殿のような荘厳で立派な門構えですね。なぜでしょうか。それは司法権力というものが実は三権の中で最も弱い権力だからです。司法権力は究極的には「これは白だ」とか「これは黒だ」などとただ判定を下すだけです。司法そのものには力も意志もない。だからこそ、アメリカ建国の父たちは、この権力に権威を付与しなければならないと考えたのだとアーレントは指摘しています（同書、三二〇ページ）。実に鋭い指摘です。最高裁判所の判事が終身制で高い地位を与えられているのもそのためです。

ここから分かるのは、三権といっても一つ一つ性質が全く違うということです。教科書などではよく立法、行政、司法がそれぞれ同じサイズの丸で図示されますが、これは正確な理解を妨げるものかもしれません。本当は各権力は大きさも形も違います。

現在は行政権が非常に強くなっている時代です。コロナ危機でそれはより顕著となりました。アガンベンはそのことに危機感を抱いています。コロナ危機から随分と話が大きく広がったと思われるかもしれませんが、アガンベンのような哲学者の発言の背景には、これだけ話してもまだ話し足りない歴史と概念と思想があるのです。アガンベンの発言に同意するしないとは別に、そうした歴史や概念や思想について知り、自分で考えるということをしてもらえたらうれしく思います。

【質疑応答】

1．移動の制限はある程度仕方がないのでは？

質問一　移動の自由はあらゆる権利の基となるというお話でしたが、ウイルスの身動きを取れなくするためには、人々の移動を止めるぐらいしか有効ではないと思われます。そのため、ある程度の移動の制限はやむを得ないものだと思います。当然、そういう時代が終焉したら速やかに解除しないといけないと思いますが、そのことについてはどう思われますか？

國分　その通りだと思います。感染症が終息したら解除しなければならないし、メルケルが言っていたように移動の制限は本当はやってはいけないし、やるべきじゃないんだけれども、コロナ危機においては制限も仕方ないというのが通念ですし、その通念でいいんだと思います。

でも、既に述べたことを繰り返しますが、その制限を皆が易々と受け入れる時、僕らがこれまで大事にしてきた権利、勝ち取ってきた権利の大切さが忘れられているんじゃないのか。これが今日一番強調したかったことです。政府がこれを命じてくるのも予想できることですね。それも仕方ないでしょう。でも、その時に僕らがアガンベンみたいな視点を全く持っていなかったら、後でどうなってしまうか分からないよ、ということなんです。

質問一　今はどういう状況で、なぜその政策を取る必要があるのかをしっかり考え続けないといけないということですね。

國分　そうですね。権利は一度捨ててしまうとなかなか取り戻せないんです。たとえば今、大学はこの講座と同じようにオンラインで授業をしています。その時、「オンラインで授業はできるじゃないか」となってしまうと、どんどん「オンラインでいいじゃないか」という方向に進んでしまう。「いや、オンラインでやったほうがいい授業もあるかもしれないが、授業は対面で行うべきだし、学生たちが大学に集まれるようにするべきだ」としっかりと主張していかないと、対面授業という形態が取り戻せなくなってしまいます。

これは教員の雇用の問題にも絡んできます。もっと所得が低い地域の先生をオンラインで雇えば、それで十分ではないかという方向に向かう可能性だってある。

やはり原則論というのを絶対に忘れないようにしないといけないですね。そして結果としては、アガンベンの話は杞憂だったで終わるのが一番いい。

2. 日本ではどのような制限を行政権に加えるべきか？

質問二 日本では、具体的にどのような制限を行政権力に加えるべきだと思われますか。

國分 今日は日本の話はあまりできませんでしたね。日本におけるコロナ危機の場合には、移動の制限だけではない、また別の問題があります。むしろ日本で怖かったのは「自粛警察」という隠語で呼ばれた相互監視体制ですね。フランスでは外出禁止に関して罰金もありました。そのような形でのオフィシャルな強制です。それに対して、日本では告げ口と無言の圧力が大きな力をもった。また、政府は指針を明確に示さず、現場の人たちが自分たちで指針を考えなければならなかったから、強烈な負担があった。つまり日本の場合は政府はもっともっともらしいことを言うだけで十分に補助もしないから、現場の人たちがこれはやっていいのか、やめるべきなのかという苦渋の決断を強いられた。ここには今日話してきたのとは全く別の問題があります。

行政権力への制限については、『来るべき民主主義——小平市都道328号線と近代政治哲学の諸問題』（幻冬舎新書、二〇一三年）という本で僕の考えを述べているので参考にしてもらえたらありがたいです。これは僕の地元で起こった都道の建設問題と住民投票運動について論じたものです。

今日、立法権と行政権の話をしました。有権者は議員を選んで国会に送り出せるから、立法権にはある程度関われます。しかし行政権にはほとんど関われない。たとえば官僚や役人を選ぶことはできない。地方行政ならば首長は選べますが、それだけです。けれども、今日述べた通り、行政権は実際には多くのことを決めている。市町村役場は僕らの生活に直結することを決めています。

たとえば保育園を統廃合するとか民営化するとかいったことは子育て世代にとっては重大な問題ですが、これは役所で決められている。僕が関わった都道の建設問題も都庁で決められている。どこに道路を作るかなんてことは都議会で話し合われているわけではないのです。都議会が行うのは都庁が決めてきた予算を認めることです。

だから行政の決定に我々がもっと関われるべきではないか。民主主義というならば当然そうあるべきだと思います。僕は住民投票を含め、行政による政策決定に人々が関われるための制度を増やしていくという提案をしています。ぜひ参考にしてみてください。

3. なぜ人々は自由に価値を置くことをやめたのか?

質問三　今回のアガンベンの話に感動しました。

國分　それはよかった。

質問三　コロナと社会の関わりについて、今たくさん論考が出ているわけですけど、その中でも、何というかまともな論考をはじめて見た気がしました。

國分　それは同感です。

質問三　先生は、人々が自由というものを蔑ろにしているとおっしゃいましたが、コロナ以前からもうずっとこの傾向は続いていたわけですよね。どうして人々が自由に価値を置くことをやめたのか、これについてお聞きしたいです。私の考えとしては、この七〇年代からの新自由主義による、我々国民一般の自由民主主義というものへの失望、これが自由に価値を感じなくなった背景なのではないかと思うんですけど。

國分　質問に直接答えることができるかどうかは分からないけれども、アガンベンが言っていることで重要なのは、例外状態を我々が進んで受け入れているということですね。自由を放棄することに抵抗がなくなっている。つまり、どこかに悪者がいて民主主義を蔑ろにしようとしているという図式だけで考えていてはダメだということだと思います。

例外状態、つまり行政権が立法権を凌駕する状態が受け入れられつつあることには、全く必然性がないわけでもないんです。たとえばスピードという問題がある。情報化したグローバル社会においては、危機は猛スピードで広まっていく。迅速に対応しないと手遅れになってしまうことも少なくない。こういう社会においては、行政が立法に対して先行しがちです。そして行政権の立法権への従属という原則が守られないことも大目に見られてしまう。

でも、議会であれこれ議論するよりも、行政権力が物事を決めていった方がスピーディで効率的だというのは、事実上、独裁を認めることに等しい。スピーディで効率的なガバナンスが今の世の中では強く求められるけれども、そこにあるのは、そのような言葉こそ使われていないとしても、事実上、独裁の方が効率がいいという考えなんですね。しかもそこには構造的な理由がある。でも、構造的な理由があればこそ、原則論をしっかりと守っていくことが必要ではないでしょうか。

質問三　そうですね。ヒットラーのナチ党もたしか社会という言葉が党名の中に入っていたという話は聞きますし。最近の独裁とかを見ていると、むしろ、その独裁のような政治をしている人たちのほうが、ポピュリズムと言って、大衆に迎合的な、我々の意見をくみ上げてくれるような政策を打ってくれる、そういう期待感が……。

國分　ポピュリズムという言葉はかなり曖昧なところがあるので、使う場合には注意が必要です。何でもかんでもこの言葉で片付けられてしまうところがあるから、一つ一つの現象を具体的に観察することが必要です。でもその話をすると長くなってしまうので今日はここまでにしておきましょう。

ヴァイマル期におけるナチスの台頭については、古い本ですが、林健太郎『ワイマル共和国――ヒトラーを出現させたもの』（中公新書、一九六三年）がお勧めです。林健太郎は東京大学総長も務めた保守派の知識人ですね。これを読めば、ヴァイマル期ドイツにどういうことが起きて、ナチスが台頭してきたのか、その概略が分かります。この本の最後の一節が今でも心に響く言葉、何度でも参照されるべき言葉なので、引用しておきましょう。

ナチスを支持した多くの人々が彼らの悪魔的性質を見誤っていたというのは事実であろう。ドイツ国民はたしかに権威服従的ではあったが、決してすべてが無法者を好んでいたわけではないからである。しかし彼らは目前の苦境に追われて、社会と人間の存立のために最も重要なものが何であるかを認識することを忘れた。そしてそれを破壊するものが民主主義の制度を悪用してその力を伸ばそうとする時には、あらゆる手段をもってそれと闘わねばならぬということを知らなかった。それがヒトラーを成功させた最大の原因である（同書、二〇七ページ）。

この本はヒットラーが首相に就任したところで終わります。この本に描かれている、そこに至るまでの過程、そしてヒットラーによって実現されてしまった例外状態の常態化というのは、むしろ今こそリアルに読めるのではないかと思います。

但し現代においては、恐ろしい独裁者が出てくるというよりも、もっとマイルドな仕方での支配が行われる可能性が高い。「スピーディで効率的なガバナンス」という言い方で例外状態が肯定されることは十分に考えられますよね。つまり同じ恐ろしいことが、違う形態で到来するかもしれないという視点が重要です。その意味で、現代の権力について考えるためには、グローバリゼーションや情報化についての知識は不可欠であろうと思います。

4. 出発の自由と到着の自由があるのでは？

質問四　移動の自由というのは、細かく分けると、出発の自由と到着の自由があるかと思います。今、行政の最小単位をまたいで移動するということが念頭に置かれていると思いますが、あり方の違う二つの行政権力をまたいだ移動をするということに関して、何かこう、特別なあり方があるんじゃないかなと思うんですけれども、いかがでしょうか。

國分　国境を越えるとか県境を越えるとかいったことについての質問ですよね。

質問四　はい。たとえ国から脱出することができても、たとえば他の国で、空港で止められてしまっては、難民になってしまいますよね。その点に関して、誰がその責任を負うべきなのか、監視すべきなのかということが気になりました。

國分　なるほど。ありがとうございます。出発と到着の自由を分けて考えるべきだというのは非常に面白い視点で、これまで考えたことがありませんでした。確かに出発ができたとしても、到着できなければ困ってしまいますね。今後もこの質問については考えていきたいと思いますが、いくつか思いついたことだけお話ししますね。

今日はヨーロッパの哲学者のお話をして、移動が主要なテーマの一つであったわけですが、ＥＵは当初から人と物と資本とサービスの四つの移動の自由を原則に掲げていました。ただこの場合は「移動」というより「オープンである」という意味ですね。そして、コロナに限らず、「ブレグジット Brexit」、更にもうだいぶ前のことにはなりますがユーロ危機などを見ていても、単にオープンであることがよいとは言えないかもしれないという印象を抱きます。

何でもオープンにしておくのがいいことだという価値観があると思うんだけど、その限界が来ているのではないか。そもそもＥＵにしても、ＥＵ内でオープンであることを目指しているだけであって、外に対してはそうではない。しかし、もちろん他方で、オープンであることを否定するならば排外主義の危険性が出てくる。僕は今、非常にぼんやりとですが、排外主義とは違う仕方で閉じられていることについて考えなければいけないと思っているんです。

コロナ危機の中で、僕が、閉じられていることの必要性を痛感したのが授業です。授業というのは一方でパブリックなものであり、その意味で開かれている。けれども、授業を行う教室にはある程度、閉じられている性格が必要です。教師にせよ生徒にせよ、そこで語られたことが即座にパブリックにされてしまうのであれば、言えないことが出てきてしまう可能性がありうるからです。たとえば、ある国の政府について研究している人がその政府に対して批判的な見解を授業中に述べることもあるでしょう。もしそれが即座にネットなどを通じてパブリックにされてしまうのであれば、批判を述べることが難しくなる。

とはいえ、もちろん、教室はクローズドで何を言ってもよいなどということもありえない。教室の閉じられた性格が強まりすぎれば、教師の専横も横行しやすくなってしまう。

これまではあまりそのようなことを考える必要がなかったんですね。なぜならば授業は、物理的な教室という一つの場所に生身の人間が集合する仕方で行われる以外にやり方がなかったからです。ところがコロナ危機においてオンライン授業が全般化すると、今述べた問題が一気にクローズアップされることになった。ある授業を全世界に向けてリアルタイムでオープンにすることが可能になった。これは新しい可能性であると同時に、これまでの授業形態では問題にする必要のなかった事柄を問題にしなければならなくなったということでもある。つまり、授業がもつ、オープンでもありクローズドでもあるという性格の意味を考えなければならなくなった。

答えになっていないと思いますが、オープンであることはいいことだと言って思考停止するのではなくて、クローズドであることがもつ意味も考えること、もちろんそれが排外的になることの危険性も含めて考えることがいま必要ではないでしょうか。

質問四　私は生物学が専攻なんですけど、やっぱり生命の定義も、膜で包まれていることが一つ定義にあるので、閉じて選択的に物の入れ替えをするというのは自分を守るために必要なことかなと思いました。

國分　いまのお話で、生物が身を守るという観点を導入してくれました。非常に重要な観点であると思います。もしかしたら移動についても、自分を守るために移動することの意味を考えるべきであって、それは単にオープンであることの肯定とは異なるのかもしれませんね。
繰り返しますが、クローズドであることが排外的になる可能性には常に気をつけながらも、クローズドであることの意味を同時に考えることが大切かと思います。大切なことを考えるにあたっては、たいてい、同時に二つのことを考えなければいけないんですね。

5. 高校生が将来のためにやっておくべきこととは？

質問五　個人的な質問になってしまうのですが、先生が講義の最初のほうで話された進路について、先生の視点からして、高校生のうちに何か将来のためにやっておいたほうがよいことはなんでしょうか。

國分　これは難問ですね（笑）。これは相手と状況で言うことが変わってきますよね。ただ、敢えて言えば、僕はやっぱりみんなにいろいろなことを考えてほしいから、考えるきっかけをたくさん得て、考える時間を大切にしてほしいですね。ありきたりですけど、そのためには本を読む。しかも古典を読む。人と話す。自分が考えていることを聞いてもらい、人が考えていることを聞く。映画を見る。そしてそれについても人と話す。こういったことはどれも考えるきっかけになりますよね。

高校時代、一つのことに集中してそれだけに取り組むというのは、それはそれで貴重なんですが、それによって何も考えなくなってしまうのはどうかなという気持ちが僕にはありますね。立ち止まって考える機会や時間を大事にしてほしい。そのためには暇な時間、ボーッとしている時間が大切ですよね。

6．日本で健全な政治を行うために必要なこととは？

質問六　哲学が虻のように社会を刺すことが、健全な政治を行う上で大事なことの一つなのかなと私は思ったのですが、それを日本でうまくやるためには、具体的にはどのようにしていけばよいのでしょうか。あと、私たち一人ひとりは何をしていけばよいのか。

國分　健全な政治が行われるために、君たち一人ひとりが、ということはつまり僕も含めて私たち一人ひとりが何をすべきかについては、インタビューなどでもよく聞かれるんです。民主主義がうまくいくためにどうしたらいいんでしょうか、私たちには何ができるんでしょうか、といった質問ですね。僕がいつも言っているのは、とにかく話をしてくださいということです。このことについて自分はこう思ったと人に言う。どう思うかと人に尋ねる。これはおかしいんじゃないかと聞いてみる。そうやって話をすることが何よりも大切です。

言い換えれば、人はあまり話をしていないんじゃないかと思うんです。今日紹介した哲学者のハンナ・アーレントは、政治とは言葉で行うものだと言っています。つまり、政治の本質は話すことにある。人間は暴力を使わなくても、言葉を使って話をすることで、同意を取り付けて、その同意に基づいて一緒に行動できますね。これが政治の最も基本的な形態です。大きな規模の政治も、やはり話すことから始まっている。ならば、僕らが話をすることが、結局は大きな規模の政治にもつながっていくのではないでしょうか。

僕も大学で教え始めて十数年が経つんだけど、「思ったことをはっきり言っていい」

と伝えてもなかなかそうできない一年生に何度も出会っていて、そのバリアーを溶かすのにはだいたい一学期ぐらいかかる（笑）。ただ、別の言い方をすれば、ゼミで毎週顔を合わせていれば、一学期ぐらいでそのバリアーは溶けてきますね。そうしたら、「自分はこう考えたが間違っていたかもしれない」とか、「間違っているかもしれないが自分はいまこう考えている」とか、そういう仕方で周囲の学生と話ができるようになる。だから皆さんにもとにかく周囲の人と話をしてほしいと思います。

あと、哲学のことは今日話したから別の論点を付け加えると、日本はマスコミが弱いと思います。新聞を読んでいても、日本の問題を他人事みたいに書いていることが少なくない。この状況を作ってしまっているのが自分たちなのだという思いが感じられない。政治家の記者会見でもきちんと問い詰めるということをしませんね。学者も頑張らなきゃいけないけれども、マスコミにももっと頑張ってほしいなと思います。

7．警告が届かないのはマスメディアのせい？

質問七　誰かが警告をしなければいけないと先生はおっしゃったと思うんですけど、私は警告をする声はあったのではないかと思います。ただ、それを私たちやマスメディアが拾い上げなかったり、耳にしなかったりというのが問題なんじゃないかなと思ったのですが、どう思われますか。

國分　確かにそうですね。そういう声はあったのでしょう。おそらくここで高度情報化社会の問題、ネットの問題を考えなければいけない。警告の声があったのなら、高度に情報化された社会であるにもかかわらず、なぜそれは届かないのか。また、警告する哲学者がなぜ「炎上」してしまうのか。

一九九五年は日本では「インターネット元年」と呼ばれますね。僕が大学生の時です。その後、しばらくはインターネットのもたらす情報化が世界を良い方向に向かわせるという期待がありました。インターネットというのは、誰もが発信者になれるという意味で、一つの究極の民主化であって、そこに期待が持たれていた。そしてそれがもたらしたポジティヴな効果もたくさんありました。

けれども、今ではむしろヘイトスピーチの蔓延など、ネガティヴな効果が目につくようになっている。届くべきものが届かないということもそのネガティヴな効果の一つかもしれません。質問に正面から答えられていませんが、もしかしたら人類にはまだ早すぎたのかもしれないこの情報環境を、今後人類がどう使いこなしていくのかは重大な問題だと思います。

8．生存以外の価値を人々は求めているのか？

質問八　永続的な緊急事態について「新しい日常」とかいう言葉が出てきた時、僕は宮台真司さんの「終わりなき日常」という言葉を想起していました。生存以外の価値を主張したとしても、結局、「大きな物語」が解体されていて、キリスト教徒で言えば殉教みたいな価値観も存在しない社会において、そうした生存以外の価値を主体が求めるということがあるのでしょうか。これについてお聞きしたいです。

國分　これは非常に鋭くて、質問というよりはコメントと呼ぶべきものですね。ありがとうございます。僕は『暇と退屈の倫理学』（新潮文庫、二〇二二年）という本を出しているのですが、この本はおそらく、今指摘してくれた問題への僕なりの取り組みです。人は自由を求めているようでいて、自由になると暇になり、暇になると退屈するから暇を嫌う、したがって自由を拒否するというこの矛盾した人間的事実がある。

この時に僕が出した処方箋というのは、次のようなものでした。ここで忘れられているのは楽しむということである。けれども、人間は放っておいても何かを楽しめるわけではない。人間は広い意味での勉強をしなければ楽しめない。勉強をして、つまりは楽しみ方を学んで楽しめるようになることが、この矛盾を乗り越える鍵である。——そんなようなことを書きました。

これは「大きな物語」がない時代や社会における一つの生き方の提示だったのだろうと思います。ただ、『暇と退屈の倫理学』で書いたことを撤回するつもりは全くないけれども、もうちょっと違う方向からも考えなきゃいけないなと思うようになりました。最近考えるのは、「信じる」ということの大切さですね。

ハンナ・アーレントが『全体主義の起原』という本の中で、ヒットラーの登場を準備することとなったヴァイマル期ドイツの大衆社会を分析しています。その中で、アーレントは大衆社会における大衆は、何も信じていないから何でも信じてしまうが、騙されたと分かっても「そうだと思っていた」と言ってケロッとしているのだと述べています（アーレント『新版　全体主義の起原　3——全体主義』大久保和郎＋大島かおり訳、みすず書房、二〇一七年、一三八ページ）。つまり価値観という確たるものを何も持っていないから、プロパガンダもどんどん信じてしまう。でも、そもそも信念がないから、騙されても平気なのです。

僕はこの分析を読んだ時に、まさしく現代の日本社会だと思いました。信じるということが徹底的に根こそぎにされている社会。別に信じるといっても信仰ということではないんです。たとえば、「俺たちは国からこれぐらいの扱いは受けるべきだ」とか、そういう信念みたいなもののことを言っています。何か価値が信じられていないと、やはり社会がグダグダになってしまうのではないか。そして一人ひとりの生についても守るべきラインを守れなくなってしまうのではないか。だから価値を主体が求めるかどうかというよりも、何らかの価値を信じることが必要なのだというのが僕からの答えですね。

もう少しだけ付け足すと、かつて福田恆存という英文学者・劇作家がいました。保守派の論客です。福田恆存は、人間は自由なんか求めていない、演じるための役割を求めているんだと言った（『人間・この劇的なるもの』新潮文庫、二〇〇八年改版、一七ページ）。僕は本の中では言及していませんが、いわば、この福田の言葉に反発する気持ちで『暇と退屈の倫理学』を書いたんです。つまり、人間が自由を求めることは、楽しみ方を学べば可能なのだと反論した。

けれども、僕は最終的には納得しないけれども、福田の言葉は何らかの真理を突いていると思います。確かに、「あなたは何をしてもいいのです。自由です」と言われるだけで何の役割も与えられない時、人間が何かを信じたりするだろうか。福田の言葉にはどこか、「役割を与えてやればいいんだ」という上から目線のニュアンスが感じられます。僕はそれに反発する。でも、人間に役割が必要なことは間違いない。人は自分の役割を持っている時に、何か大切な価値も信じるのではないでしょうか。

質問八　ありがとうございます。その役割をつくり出すのって、民主主義的な方法でできるのか、それともまた何かの大きな物語をつくらなきゃ駄目なのか、どう思われますか。

國分　大きな物語をつくろうとしても、それはろくでもないことになるんじゃないかと思います。たとえば、雇用が安定して、一つの仕事の中でやりがいを感じて、自分にはこういう役割が与えられていると思えることは大切ですね。もちろん職場だけじゃなくて、地域でも家庭でも、人に与えられる役割があって、それが認められることが生きていく上では必要です。そういう風に具体的に、またミクロに考えていくことが大切で、大きな物語があるとかないとかそういう大雑把な話し方ではダメだと思います。

9．死者の権利とは？

質問九　なぜ哲学があるのかを説明した「社会にとっての虻」という表現がすごく納得のいく視点で、すてきな考えだと思いました。質問ですが、アガンベンさんの言う「死者の権利」について、もう少し詳しくお話しいただきたいです。また、メキシコのお祭り「死者の日」と関係があったりしたら教えてください。

國分　メキシコに限らず、日本にもお盆のように、死んだ人と交流する時期があります。

おそらくどんな文化圏でもそのような時期が何らかの仕方で存在していると思います。文化人類学では、人間が定住していることの証拠の一つをお墓の存在に見るようですが、少なくとも定住後の人間が作り出してきた文明にとって、死者との交流は欠かせない要素だったのでしょう。最近では、約四万年前まで存在していたネアンデルタール人も埋葬を行っていたと考えられていますから、現生人類以外でも、死者との交流が何らかの仕方で試みられていた可能性があります。

なぜ人は死んだ人と交流するのでしょうか。おそらく、今生きているという感覚は、死んでしまった人がいるという感覚と切り離せないからではないでしょうか。それをお墓に行ったり、お盆の時期を設定したりして確かめているのではないでしょうか。もちろんこれは余りにも深い問いであって、僕には十分な答えは出せません。ただ一つ言えるのは、おそらく、そうやって死者との関係を大切にすることは、結果として、かつて生きていた人たちが遺したものを大事にするという感覚を生むのだろうということです。自分より以前に死んだ人がいるということに実感を持てなければ、今この世の中で大切にされているものをどうして大切にしなければならないのかは分からないでしょう。そうすると、ただ「今」だけが存在する、とても薄っぺらい生がそこに現れることになる。

今述べたことを、すこし視点を変え、また哲学的・法学的な用語を使って一言で表したのが「死者の権利」という言葉なのだと思います。人間はずっと死者との交流を大切にしてきた。また死者に対する敬意が人間の文化を支えてきた。そういう非常にプリミティヴな感覚をアガンベンはこの言葉に込めているように思います。人間にとってプリミティヴな感覚に関わっているからこそ、埋葬されるという「死者の権利」がなくなったら、人間社会が根底から崩れてしまうのではないかとアガンベンは危惧しているのでしょう。

10. テロリズムの脅威は?

質問一〇　今日の講義で、コロナ危機においては、「剝き出しの生」を利用して自由の制限が行われているとおっしゃっていたじゃないですか。コロナ以前はテロリズムが利用されていたのに、何でテロリズムが利用されなくなっていったのでしょうか。今もテロリズムの脅威はあるじゃないですか。

國分　君の言う通りで、今もテロリズムの脅威はあるわけで、いったいなぜだろうね。イスラーム国についての報道など、ほぼなくなりましたね。潜在的な危険性は変わっていないはずなのに。

社会が反応しやすい「危険」は刻一刻と変わっていく。つまり、「危険」はそういう政治的な性格を持っているということなのだろうと思います。テロリズムが自由の制限の口実になっていた時だって、別のもっと大きな危険があったかもしれない。政治は危険に反応する人々の感情を利用するということだよね。だから、いろいろな政治的、経済的、社会的な要因が混じり合って、どの「危険」がクローズアップされるのかが決まるとしか言いようがないですね。

質問一〇　今注目されて、マスメディアが取り上げているような問題を、政府が利用して自由の制限につなげていくということですか？

國分　悪く言えばそうなるけれども、みんなが怖がっているから対応せざるを得ないという面もある。だから悪者を明確に立てる考え方には警戒が必要でしょうね。むしろ問題は、アガンベンが言ったように、人々が積極的に自由を捨てようとしていることの方でしょう。確かに危機が起こった時にそれを利用する悪者はいます。今回のコロナ危機でも、憲法に国民の権利制限を明確化した緊急事態条項が必要だ、と、この機に乗じて自分たちに都合のよい主張を始めた勢力があった。けれども、悪者を明確に見出せない場合も少なくないのであって、悪者を立てる単純な見方にはいつも警戒が必要です。

11. マスクを着けたくない人々についてどう思いますか?

質問一一　アガンベンの話を聞いていて思い出したのですが、アメリカでマスクを着けたくないという人がいるというニュースがあって。そのニュースを見た時は、過激で非科学的だなって単純に思ったんですけど、今日のアガンベンの話を聞いて、ちょっと考え方が共通しているところがあるのかもしれないなと思ったのですけど、どう思われますか?

國分　これは大切な質問ですね。マスクを拒否する勢力の中に、まさしくいま君が言ってくれた「過激で非科学的」な面を持った人たちがいることは事実で、アガンベンの主張がそうした人たちに接近する危険を持っていることは間違いのない事実です。ただ、今日はアガンベンの主張が単なるマスク拒否には還元できない厚みを持っていることを頑張って説明してきたつもりです。

マスクを拒否する人たちが、その自分の気持ちに固執して、それを主張できることは大切だと思いますよ。僕自身はマスクぐらいしてくださいよと思うけれども、そうした主張ができること自体は大事だし、一見して折り合いをつけることが難しい人間たちの集まるところで妥協点を探っていくというのが政治の仕事ですね。

12. 哲学者はどこまでその役割を求められるのか？

質問一二　今回のお話で哲学にすごく興味が出てきました。「虻」と表現されていた哲学者の役割について質問したいと思います。その役割というのは、先ほど取り上げられていたアガンベンさんのように、社会に対して論を張るところまでなのでしょうか。それとも、それより先で、その一声によって社会が変わるというところまでなのでしょうか。そうだとして、その象徴的な前例などありましたら、教えてください。

國分　よく組み立てられた質問ですね。まずこれはソクラテスの言葉であると考えられるわけですが、ソクラテスという哲学者は、現在の哲学の研究者とは全く性質が異なりますね。ほとんど関係がないと言ってもいい。まず古代ギリシアでは学問が現在のように多分野に分かれているわけではないから、哲学がカバーしている領域はほとんど学問そのものです。また、ソクラテスはアテナイである種の言論活動を行っていたわけだから、学問することと言論活動をすることとがソクラテスの中では別物ではなかった。ソクラテスは或る種の社会運動家でもあったわけです。だから、哲学者は社会にとっての虻であるというたとえをそのまま現在に持ってくることはできません。哲学に限らず、誰かが「社会の虻」にならなくてはいけないのでしょう。

でも、僕は哲学を学び、教える者として、やはりこのソクラテスの言葉にこだわりたいと思っていて、哲学にはそのような役割があるのだと言いたい。アガンベンのような哲学者が知識人として社会に対して警鐘を鳴らすという意味だけではなくて、皆さんのような人たちが哲学を学び、ものを考えるなかで、チクリと刺したり、チクリと刺されたりということが起こって欲しいんです。哲学の本を読んでチクリと刺される。その本の話を友だちにすることで、その友だちをチクリと刺す。その友だちの応答によって、またチクリと刺される。そういうことが起こって欲しい。

質問の後半部分は、僕なりに言い換えると、学問に関わる者が何か率先して行動を起こすべきかどうかという問題に関わっているように思います。とても難しい質問です。ただ僕は学問にできることと政治にできることには区別は必要だと思っています。

先程、かつて哲学がカバーしていた領域は学問そのものだったと言いました。つまり、歴史が進む中で、いろいろな学問がだんだんと哲学から離脱して独立していったわけです。つい最近離脱した学問として、経済学があります。経済学は一般にはアダム・スミスによって始められたと考えられていますが、これは一八世紀のことです。経済学は今では大変大きな力を持っていて、政策決定にも重要な役割を果たしている。けれども学者には、学問はやはり学問にすぎないという謙虚な気持ちが必要だと思います。経済学のような学問が政策決定に役立つことはあるでしょう。しかし、謙虚な気持ちが欠けていれば、理論を現実で試すようなことが起こりかねない。

僕は学者が社会に対して発言していくことはとても大切だけれども、学問と政治の間に何らかのギャップがあることを学者は常に意識しておくべきだと思っています。

13. どうすれば話し相手を増やしていくことができるか?

質問一三　先生は、考えて話していくことが大事だよと、いろいろなところでおっしゃっていますが、たとえば僕らが友だちに今日の講義の話をすると、「あー、またあいつ真面目な話してるよ」みたいになっちゃうというのが現代社会のある傾向だと思うんですね。そういう時、どうやって話し相手を増やしていくのか、興味のない人にも聞いてもらえるような話し方があったら、教えてほしいです。

國分　僕も同じような悩みがありましたよ。誰かと話ができる場所はやはり自分で見つけるしかないかな。今日も大学時代に僕が読書会サークルに所属していたという話をしたけど、本当にそこは僕にとっていい勉強の場所だったんだよね。本を読むだけではなくて、意見を言えば、話を聞いてくれるどころではなくて、どんどん批判もされるような場所だった。そういう場所が見つかるといいよね。君の高校で「政治哲学部」のようなものを作ったらいいいんじゃないかな。そうすれば「実は俺もやりたかった」とか言ってくるやつがいるかもしれない。とんでもない知識や特殊能力を持った人が集まってくるかもしれない。自分で場所を作るってことも考えてほしいですね。

14. 主張を訴えたとして、社会は変わるものなのか？

質問一四　「これはおかしい」と指摘しなければ社会がおかしな方向に進んでしまうというお話だったと思いますが、具体的にどのような方法で訴えればよいのでしょうか。自分は今の政治はいろいろな意見を取り入れずに一部の人が流れで決めていると感じているんですが、たとえば本やインターネットでそのことを訴えて、社会は変わるものなんでしょうか。

國分　いや、だいたい変わりませんね。一生懸命に主張してもたいてい敗北する。ほとんど間違いなく敗北すると言ってもいい。残念ながらそれは確かです。ならば、「これはおかしい」と言っても仕方がないということなのか。

よく思い出すマハトマ・ガンジーの言葉があります。「あなたがすることのほとんどは無意味であるが、それでもしなくてはならない。そうしたことをするのは、世界を変えるためではなく、世界によって自分が変えられないようにするためである」。自分が何かをしてもすぐに社会は変わりません。それでパッと変わってしまったら、そっちのほうが恐ろしい。だけど、意見を表明したり、考えたり、話したりする限り、「もうこれで仕方ないんだ」と思い込むような人間になるのを避けることはできるのではないですか。ガンジーの言葉は僕もいつも心に留めているものです。

あと、人が発した言葉がいつどのような効果を発するのかは予期できないということも付け加えておきたいと思います。パブリックコメントというのがありますね。しばしば「パブコメ」と略されます。行政が政令を定めたり、政策を執行する場合に、公正さの確保と透明性の向上のために広く一般に意見を求めるという制度です。これが有効活用できれば、市民が行政に対してオフィシャルに意見するいい機会になるのですが、実際にはパブコメが政策決定に影響を及ぼすことはほとんどありません。「パブコメはきちんと集めました」という口実を作り出すのに利用されているだけです。

でも、そのパブコメの中に「これはおかしい」という言葉がたくさんあったら、実際に問題が起こった時に、「ほら、パブコメでもそういう意見がたくさんあったではないか」と言えるんですね。パブコメに残された言葉は、すぐには何の効果も発揮しないかもしれない。けれども、それがいつ効果を発揮するかは分からない。意見を言うのも一緒で、何か言ったからってすぐには変わらない。けれども、それはいつか効果を発揮するかもしれない。というか、言葉や行為がいつどういう効果をもたらすかを完全に予測することなどできないんですね。この認識はとても大切だと思っています。

15.「死者の権利」を生者が語るのは傲慢なことではないか？

質問一五　アガンベンの話ですが、違和感を覚えるところが「死者の権利」について語られているところです。死んでいる人に代わって、死んでいる人の権利を生きている人たちが語る。これは、ある種の生きている人の越権というか、何かそういった傲慢さを助長してしまうんじゃないかという懸念があります。これについて、どのようにお考えでしょうか。

國分 非常にいい指摘ですね。ありがとうございます。誰かの代わりに語ることの傲慢さには、常に気をつけなければいけません。それを確認した上で、いくつか思いついたことを応答としてお話ししてみます。

まず、なぜアガンベンは自分が生きている者であるのに、「死者の権利」について語り、たとえば「死者に対する敬意」とは言わなかったのかという疑問は根拠のあるものです。これはアガンベン自身に聞いてみたい。「死者に対する敬意」ではなぜダメなのですかと聞いたら何か教えてくれるかもしれません。

誰かの代わりに話すことの傲慢さについては、一つ思い出したことがあります。僕が研究対象としている二〇世紀フランスの哲学者ジル・ドゥルーズは、かつて、ミシェル・フーコーとの一九七二年の対談の中で、知識人が誰かの代わりに代表として語るという考え方を批判しました（ドゥルーズ「知識人と権力」『無人島　1969-1974』

小泉義之他訳、河出書房新社、二〇〇三年、一三一ページ）。そこにある傲慢さについてドゥルーズは自覚的であったわけですね。

でも、このドゥルーズの考えを批判した人がいました。ガヤトリ・C・スピヴァクというアメリカで活躍しているインド出身の文学者・哲学者です。スピヴァクは、「サバルタン」と呼ばれる従属的・疎外的な地位にいる人は自分で語ろうにも語れないのであって、誰かが誰かの代わりに語ることの必要性は尚もなくなっていないと指摘した（スピヴァク『サバルタンは語ることができるか』上村忠男訳、みすずライブラリー、一九九八年）。スピヴァクによる批判はだいぶ時間がたって、一九八八年に行われたものですし、二人の間で論争が起こったわけではありません。ただ、この批判は特に政治に関心のある哲学・思想系の研究者たちに注目されました。僕にはここで一般的な解を出すことはできません。ただ、誰かの代わりに語ること、特に死者の代わりに語ることには、非常に複雑な問題があるということは指摘しておきたいと思います。

もう一つ思い出したことを話させてください。NHKスペシャルで二〇〇六年に放送された「硫黄島　玉砕戦～生還者61年目の証言～」という大変優れたドキュメンタリーがあるのですが、その中で大変印象的な言葉に出会ったことがあります。硫黄島は太平洋戦争中に本当に悲惨な戦闘が行われた場所です。生還した元日本兵が硫黄島の戦いについて語ることは少なかったようです。このドキュメンタリーは数人の方から得た証言をもとに作られています。その中に、当時のことを滔々と話していた老人が、突然、ワァッと泣き出すシーンがあるのですが、その時にその老人は、こうして当時のことを話すのは死んでいった人たちへの「供養」だと思っているとおっしゃったんですね。僕はこの供養という言葉にびっくりした。供養という馴染み深い言葉を、はじめて心に響く形で聞いた気がした。

「追悼」という言葉がありますね。追悼というのは、生きている人たちが死者の生前を思い出して、懐かしみ、そしてその死を悲しむという意味ですね。追悼は生きている人を中心とした言葉です。それに対して供養は全く違う。供養とは死者の冥界での幸福を祈ることです。もう死んでしまっている人の死後の幸福を願うことです。供養は死者を中心にした言葉なんですね。おそらくその老人の口からは追悼という言葉は出てこないだろうと思います。供養という言葉を聞いた時に、その違いにハッと思い至って、僕はびっくりしたんです。

　僕たちが使っている言葉の中には、もう死んでしまった人のための言葉というものもあるのではないでしょうか。そうした言葉は、死んでしまった人の代わりに話すこととは違うものだろうと思います。質問への直接の答えにはなっていないかもしれませんが、思い出したのでお話ししました。

16. 現代は死生観が昔よりポジティヴになったのか？

質問一六　私はダニエル・デフォーの『ペスト』（中公文庫、一九七三年）を読んでいて、ペストが流行した時は十字切りや魔除けなど少し怪しい迷信のようなものが世の中で出回りましたが、今回のコロナウイルスでは、家で料理したり、歌手のオンラインライブがあったり、娯楽をして過ごすことがよいとされました。それはつまり、現代に生きる我々の死生観が、ある意味でポジティヴな方向へ転換したということでしょうか。それとも、ただ政治権力に甘えてしまっているだけなのでしょうか。

國分　コロナ危機においては二〇世紀フランスの作家アルベール・カミュの『ペスト』（新潮文庫、一九六九年）がベストセラーになりましたが、いま名前を挙げてくれたのは、一八世紀イギリスの作家で『ロビンソン・クルーソー』の著者として有名なダニエル・デフォーの『ペスト』ですね。そこまで読んでいるのはすごいですね。感心します。

これは正直言うとテクノロジーの発展が大きいと思います。実際、僕らはコロナ以前からかなりのことを家にいながらやっていたわけですね。買い物もほとんどネットで、映画もネットフリックスやアマゾンプライムで見ていた。これは死生観の変化とまでは言えないかなと思います。

ただ、政治権力に甘えているかどうかはともかくとして、屋内に閉じこもることへの要請が多くの国で受け入れられたことには、僕はやや驚きを感じましたし、それが今日、アガンベンの論考を紹介した理由の一つでもあります。たとえば、今回のコロナ危機で再び注目が集まったスペインかぜは、死者数は全世界で一億人を超えたと言われています。コロナ危機とは桁が違う（注――二〇二二年末の時点でＷＨＯが発表した論文によれば、新型コロナウイルスによる死者の数は全世界で一五〇〇万人）。もちろん、ことの重大さを数で計測することはできません。ただ、コロナ危機よりも遥かに死者が多く出たにもかかわらず、スペインかぜでは、新型コロナウイルスによってもたらされているほどの大きな社会的変化が起こったわけではありませんでした。ですから、単に被害の大きさが社会の変化をもたらしているとは言えないのです。これ以上は専門的な研究が必要になりますが、この点は一応指摘しておきたいと思います。

17．今日高校生とのやり取りで感じたことは？

質問一七　講義の内容に関する質問というよりも、本日このように講義をして、高校生から質問を受けて、先生が何を感じたかをお聞きしたいです。

國分　そんな運営側みたいな（笑）。

質問一七　私は、ずっと高校生の質問と先生のアンサーを聞いて、正直なところちょっと退屈な部分もあって、でも人の意見を聞くのはとても楽しかったなと思っています。先生はおなかも空いたかなと思うんですけど、何を感じましたか？

國分　人の話を聞くことの退屈さについて言うと、やはり、そんなに長時間聞いていられる話なんてなかなかないんですね。だから、この長時間の講義とやり取りを聞いていて、退屈なさったとしてもそれは仕方のないことです。これは教師としての言い訳ではありません（笑）。

先ほども名前を挙げたドゥルーズが『ジル・ドゥルーズの「アベセデール」』というインタビューDVD（KADOKAWA、二〇一五年）で言っているんだけど、フランスの大学は授業が一コマ二時間半もある。長過ぎですよね。ドゥルーズ自身が「人は二時間半も同じ人の話を聞いていることはできない」と言っているんですね。教師なのに無理だと言っている（笑）。けれども、二時間半の授業の中で、ある話題にはある学生たちが、別の話題には別の学生たちが反応し、だんだんとオーディエンスの「テクスチャー」ができてくる。全てに興味を持たせることなんかできない。それよりどこに反応するかが大事だ、と。僕もそう思います。

大学時代に僕がお世話になった先生も、大学の授業を一年受けて一つ面白いと思えるネタがあれば、もうそれで十分だよと言っていました。僕もそう思います。出席して、試験を受けるのは単位を取るためだという意識も大切です。毎回の授業が面白ければ最高だけど、そんなことはなかなかない。僕は留学時代、二〇世紀フランスを代表する哲学者の一人であるジャック・デリダの授業に出ていて、本当に最高の授業だったんだけど、そのデリダですら授業が面白くない時があったからね（笑）。「今日はいまいちだったな」なんて帰りに友だちと言ったりしてました。

僕は、今日は皆さんと話をしていて、何だろうな……。やはり高校生は面白いよね。高校生はエネルギーが剝き出しで、それがビシバシ伝わってくる感じがあります。それが心地いい。僕自身は全く退屈しませんでしたよ。

すこし深刻な話をすると、世の中は悲惨なことばかりで、暗い時代というか、とても希望を持てない。でも僕は大学で学生と接しているから何とか生きていける。

質問一七　人と関わっていないと、自分も廃れていくのは感じます。

國分　そうだよね。大学で学生と接していても、そして今日も皆さんと接していても、世の中も捨てたもんじゃないって思う。テレビとか見ていると、テレビをぶっ壊したくなるんだけど。

質問一七　私は今日、先生のお話を聞いて世の中捨てたもんじゃないなと思いました。

國分　それならばよかったです。アガンベンに最終的に同意するかどうかはともかく、彼のように興味深いことを言っている人はたくさんいます。大学に来ると興味深いことをたくさん教えてもらえます。だからぜひ皆さんに大学という場に来てほしいですね。今日はこれをもっと早い時間に言えばよかったな。大学というのは本当にすばらしいところですよ。僕はあまりにも大学が好きだったから、大学の先生になってしまったんです。

第二部　不要不急と民主主義——目的、手段、遊び

「目的とはまさに手段を正当化するもののことであり、
それが目的の定義にほかならない」
（ハンナ・アレント『人間の条件』）

前口上

時間になりましたので、そろそろ始めていきましょう。

二〇二〇年の一〇月、もう二年前になりますが、「東大TV——高校生と大学生のための金曜特別講座」という毎年行われているオムニバス講座の枠でオンライン講義をさせてもらいました。その動画はその後YouTubeにアップされたのですが、とても好評で三〇万アクセスを超えたんです。これはとてもありがたいことでしたが、その時から不思議に思っていたのは、なぜこの講義動画がそこまで視聴されたのかということでした。もしかしたら、あの中で話したようなことは他ではあまり話されていないのかもしれないと思ったんです。だとしたら、あの講義の内容を延長するような話をしておく必要があるのではないか。そう思って開催しているのが今日の特別授業、「学期末特別講話」です。

ちょうど明日で試験が終わり、学期が終了しますね。なぜこの時期にこういう特別授業を開催したのかというと、大学というのは試験が終わるとそのまま休みに入ってしまうでしょう。それがなんか寂しいなと昔から思っていたんですね。試験が終わる時期に集まって、皆で、単位とは関係なしにお話をする機会があってもいいのではないか。その機会を「学期末講話」と題したわけですが、「講義」だったら学期中にやっているし、「講演」も依頼されてよくやっている。そこで考えていたら、そうだ、日本語には「講話」という言葉があるなと思いついたという次第です。お坊さんもよく講話をされますね。完全にカジュアルというわけでもないが、あまりシリアスすぎない、そんなお話のスタイルかなと思います。できれば、毎学期末にやって、試験から解放されたばかりの学生の皆さんと、僕がいま関心のある話題を共有していけたらと思っています。

日本では炎上しなかったアガンベンの発言

「東大TV」の延長となるような話をしたい、ということですが、そこではどのような話をしたのかを簡単に振り返っておきましょう。

二〇二〇年の冬、コロナ危機が始まったばかりの頃、イタリアの哲学者であるジョルジョ・アガンベンがコロナについて書いた論考が大きな話題になりました。論考はコロナ危機下で進行している事態を強い口調で批判していました。

批判のポイントは大きく言って三つあります。一つ目は社会が生存だけに至上の価値を置くようになっていることへの批判。これにはアガンベンが初期から論じ続けてきた「剝き出しの生」に対する考察が大きく関わっています。二つ目は、そこより帰結する「死者の権利」の蹂躙への批判。より具体的に言えば、問題になっているのは、死者が葬儀をあげられることもなく埋葬されている事実です。三つ目は移動の自由の制限に対する批判。移動の自由は、単に数ある自由のうちの一つとしては考えることができないということがそこではポイントになります。

いずれの論点も重要であることは間違いないでしょう。とはいえ、コロナ危機の現実を考えれば、アガンベンの批判に納得がいかない人が少なからずいたこともよく理解できる。たとえば医療現場で頑張ってくださっている方々のことをどう思っているのかと反発する人も多いはずです。実際、アガンベンの一連の論考は特にインターネット上で、ネットスラングで言うところの「炎上」騒ぎを起こしました。

ただ、日本ではそうした騒ぎは起こらなかったことには注意を促しておきたいと思います。実は僕はNHK BS1スペシャル「コロナ新時代への提言～変容する人間・社会・倫理～」（二〇二〇年五月二三日放送）というテレビ番組でこのアガンベンの主張を紹介したんです。かなり反響も大きかった番組でしたが、アガンベンの主張に反発するような反応はほとんどありませんでした。これはやや不思議なことです。日本にはアガンベンの主張を受け入れるような素地があったということかもしれず、その意味については改めて考えてみる必要があるでしょう。

「不要不急」

では、先に紹介したオンライン講座の論点を、今日の講話でどのように延長していったらよいか。今日はコロナ危機下で大変よく耳にするようになった一つの言葉を出発点にしたいと思います。それが、「不要不急」です。

ここに『不要不急――苦境と向き合う仏教の智慧』（新潮新書、二〇二一年）という本があります。十人のお坊さんが「はたして仏教は不要不急のものなのか？」といった問いを考察した、大変読みやすく、そして面白い本なのですが、編集部による前書きには次のように記されています。「コロナ禍の日本において、盛んに喧伝されるようになった「不要不急」の四文字。二〇二〇年二月、政府が「不要不急の外出を控えるように」と呼び掛けてから、「コロナ禍の日常」を象徴する言葉として、あらゆる場所で耳にするようになりました」（同書、三ページ）。

確かにコロナ危機の中、何度も耳にし、そして目にするようになったこの言葉ですが、それまではそれほどよく使う言葉でもなかったように思います。一つのポイントは、この前書きで記されている通り、どこからともなくこの言葉が出てきて普及したのではなくて、最初に政府がこの言葉を使ったということです。命令とまでは言えませんが、行政からの要請を説明するためにこの言葉が使われた。そして、それが広く世間に受け止められたということになります。今では、コロナ危機における日常を生きる日本国内の多くの人々の心に内面化された規範を表現する言葉になっています。

この言葉は実に多くのことを考えさせます。どこまで行けるか分かりませんが、この言葉を出発点にして、すこし極端なことを考えてみたい。というか、幾人かの哲学者の思考とこの言葉の意味するところを突き合わせてみたい。そしてこの言葉の背景にある思想のようなものを、突き詰めて考えてみたいと思うのです。

必要と目的

「不要不急の外出」「不要不急の仕事」「不要不急のイベント」「不要不急の冠婚葬祭」……。この四字熟語は様々な言葉に付されました。この熟語自体の定義は非常に単純なものであり、広辞苑には、「どうしても必要というわけでもなく、急いでする必要もないこと」と書かれているそうです。

定義を見ると、不要不急が「必要」に関わっていることが分かります。この熟語の核心にあるのは、必要の概念に他なりません。では必要とは何か。必要という言葉は日常でも非常によく使う言葉であるわけですが、その意味するところは意外に複雑です。たとえば必要は要請と似ているけれども、かなりニュアンスが違う。要請の場合は、要請する主体が想定されている感じがあるし、また、要請されていることが必ずしも提供されない可能性もまた想定されている。それに対し、必要の場合は、対象が必ず提供されねばならないというニュアンスがある。他にも必要と似ているが異なる言葉と、これを差異化してみることができるでしょう。

今日、これから必要について指摘してみたいのは、それが何らかの目的と結びついているということです。必要と言われるものは何かのために必要なのであって、必要が言われる時には常に目的が想定されている。目的とは、それの「ために」と言い得る何かを指しています。必要であるものは何かのために必要であるのだから、その意味で、必要の概念は目的の概念と切り離せません。

贅沢とは何か

とても十分ではありませんでしたが、僕はすこしだけ必要の概念について考察したことがあって、それが、最初、単行本として二〇一一年に出版され、今年、二〇二二年に新潮文庫に収められた『暇と退屈の倫理学』という本です。この本では、贅沢や浪費といった一見したところ退けるべきと思われる行為に注目しつつ、単に人間が生存していることと、人間が人間らしく生きることとの区別を試みています。

参考になったのは、二〇世紀フランスの社会学者・哲学者ジャン・ボードリヤールの消費論でした。順を追ってその議論を説明していきましょう。出発点となるのは贅沢の概念です。贅沢とは何でしょうか。それは何らかの限界を超えた支出と考えることができます。ではどんな限界か。豪勢な食事は贅沢と言えますね。仕立てのよい衣装も贅沢と言えるかもしれません。なぜでしょうか。そうした食事や衣装がなくても人間は生きてはいけるからです。つまり、それらは人間の生存にとっては必要ではないからです。するとこう考えることができるでしょう。我々は、人間の生存にとっての必要という限界を超えた支出が行われる時に、それに贅沢を感じる、と。

贅沢はしばしば嫌われ、退けられます。というのも、それはしばしば無駄だと捉えられるからです。確かに贅沢は生存の観点から見れば、無駄です。しかし、だったら生存に必要なものだけがあればいいのでしょうか。生存に必要なものだけがある生活とはどんな生活でしょうか。それは何らかのアクシデントがあれば容易に崩れ去ってしまうようなギリギリの生活でしょう。ギリギリの生活の中で人間は充実感を抱くことができるでしょうか。あるいは豊かさを感じることができるでしょうか。昔から腹八分目と言いますし、人間の生存あるいは長生きにとってはその方が望ましいのかもしれません。けれども、やはり人間は時には美味しいものを腹いっぱい食べたい、十二分に食べたいと思うのではないでしょうか。あるいはまた、自らの服装にこだわることで、自分らしさとか充実感を味わうことができるのではないでしょうか。

消費と浪費

実際、どんな社会も豊かさを求めたし、贅沢が許された時にはそれを享受してきた、とボードリヤールは言っています。あらゆる時代において、人は買い、所有し、楽しみ、使った。「未開人」の祭り、封建領主の浪費、一九世紀ブルジョワの贅沢……他にもさまざまな例が挙げられるでしょう（『物の体系——記号の消費』宇波彰訳、法政大学出版局、一九八〇年）。贅沢を享受することを「浪費」と呼ぶならば、人間はまさしく浪費を通じて、豊かさを感じ、充実感を得てきたのです。

人類はずっと浪費を楽しんできた。ところが、二〇世紀になって人類は突然全く新しいことを始めた、とボードリヤールは言います。それが「消費」です。つまりここで消費は浪費と区別されて用いられています。浪費は生存のための必要を超えた支出の享受を意味しました。それは言い換えれば、限界を超えて物を受け取ることです。限界を超えて物を受け取るわけですから、浪費は満足をもたらします。そして満足すれば浪費は止まります。たとえば、十二分に食事をして満足したら、お腹がいっぱいになって食事は終わる。つまり浪費には終わりがある。

ところが、消費には終わりがありません。なぜか。浪費の対象が物であるのに対し、消費の対象は物ではないからです。消費は観念や記号を対象とするのだとボードリヤールは指摘します。たとえばグルメブームのようなものを考えてみると分かりやすいでしょう。あるお店が流行しているからという理由で人はそこに赴く。そして一定の時間が経つと、今度は別のお店が流行しているからという理由で別の店に赴く。どうして人がこのような行動を繰り返すのかと言えば、それは「その店に行ったことあるよ」と人に言うためです。最近ならば、画像をネット上に投稿するためでしょう。この消費行動はいつまでも終わりません。なぜならば、そこで人が受け取っているのは物そのものではなくて、「あのお店に行った」という観念だからです。記号とか情報と言ってもいい。

消費と資本主義

消費において人は物そのものを受け取らない。食事を味わって食べて満足することよりも、その食事を提供する店に行ったことがあるという観念や記号や情報が重要なのです。そして観念や記号や情報はいくら受け取っても満足を、つまり充満をもたらさない。お腹がいっぱいになることはない。だから止まらない。そのような性質を名指して、ボードリヤールは消費を観念論的な行為とも呼んでいます。

消費のメカニズムを応用すれば、経済は人間を終わりなき消費のサイクルへと向かわせることができます。二〇世紀にはこれが大々的に展開され、大量生産・大量消費・大量投棄の経済が作り上げられるとともに、人類史上、前例のない経済成長がもたらされました。同時にそれは甚大な環境破壊も引き起こしました。

現在、環境破壊についての反省は様々な形で進行していて、地球環境問題は世界中で大きな関心を集めています。ただ、地球環境問題のような巨大な問題に基づいて消費社会の問題点を理解するのでなくても、人間はこの消費という行動にどこか感性的な違和感を抱くことがあるだろうと思います。つまり、消費社会が我々を「消費者」になるように駆り立てることそのものになんとなく反発を感じるということです。ボードリヤールによる消費社会批判も、根底には消費に対する感性的な反発がありました。

ただ、そうして消費行動に感性的な反発を感じたにせよ、消費社会の問題点を知性的に理解したにせよ、問題はそこからどこに向かうべきかということです。僕の個人的な経験を交えて言いますと、この問題が日本を捉えたのはバブル経済以後だと思います。つまり日本が経済的な豊かさを享受し始めてからです。経済的に貧しかった時は経済的な豊かさを求めることに特に疑問は抱かれない。けれども、経済的な豊かさが達成されると、これでよいのかという疑問が出てくるとともに、ここからどこに向かうべきなのかという悩みが人を捉えるようになる。

一九八九年、バブル経済の全盛期に出版された暉峻淑子著『豊かさとは何か』（岩波新書）はベストセラーとなり、僕が大学生だった九〇年代なかばでもよく読まれていました。これは物質的な豊かさばかりを追求してきた日本に対して警鐘を鳴らした本です。

僕も確か大学生の頃にこの本を読みました。概ね賛成だったのですが、どこか不満も感じていました。物質的な豊かさだけではダメだということはよく分かる。けれども、その反対のものが何かうまく言葉にされていない気がしたのです。そして、物質的な豊かさのみを求める社会にノーを突きつけるだけでは何かまずいことになるのではないかというボンヤリとした懸念を抱いていました。

浪費家ではなくて消費者にさせられる

その時に感じていた懸念は、一九九二年に中野孝次の『清貧の思想』（草思社。現在は文春文庫）がベストセラーになると、僕の中で強い反発へと転じました。これはおかしいと思った。しかしこの反発を言葉にするまでには時間がかかりました。この反発を感じてから二〇年近くたって、僕は『暇と退屈の倫理学』を書き、大学生当時の自分が感じていた反発をその中でやっと言葉にすることができました。

この本で僕が強調したのは次の点です。消費社会は僕らに何の贅沢も提供していない。「次はこれだ、その次はこれだ」と僕らを消費者になるように駆り立てている消費社会は、僕らを焦らせているだけで、すこしも贅沢など提供していない。つまり消費社会の中で僕らは浪費できていない。僕らは浪費家になって贅沢を楽しめるはずなのに、消費者にされて記号消費のゲームへと駆り立てられている。

だとすれば、むしろ贅沢を求め、物そのものを受け取って浪費することこそが大切ではないのか。それは人間に充実感や豊かさをもたらす。そして何より、浪費は満足によって止まる。物の受け取りには限界があるからです。それに対して消費には限界がない。だとすると、消費社会がもたらす贅沢を退けて「清貧」に生きるべきだという主張は、消費社会の根本的な特徴のみならず、人間にとっての豊かさの大切さをも捉え損ねている。これが『暇と退屈の倫理学』の大きな主張の一つでした。

浪費はどこかで満足に達して止まるという点は極めて重要です。なぜならば、自分たちが奪われている楽しみや豊かさを取り戻すことによってこそ、大量生産・大量消費・大量投棄に基づく消費社会の悪循環に亀裂を入れることができるという視点が得られるからです。ここからは、むしろ贅沢を求めることによってこそ社会は変わるという結論が導かれます。実際にそうだと思います。物をきちんと受け取って楽しむことが全般化すれば、社会は変わります。

イギリスの食はなぜまずくなったのか？

ちょっと脱線しますが、皆さんは「イギリスの食事はまずい」とよく言われていることは知っていますか。実際のところ、最近は美味しいんですけどね。確かに一時期までは本当にひどかったようです。かつてのクオリティーの食事を提供する古い食堂は残っていて、そういうところで食べると塩味が付いていない。というのも、食卓にある胡椒と塩で各自が自分向けに調整して味付けすることになっているからです。これには面食らいました。

しかし、イギリスの料理はずっと昔からまずかったわけではなく、それは一九世紀に産業革命と農業革命から決定的な悪影響を受けたことの帰結であるという西洋経済史家、小野塚知二（ともじ）氏の研究があります。もともとはイギリスにも豊かな食文化があった。それが産業化によって破壊されたというのです。「産業化の過程で村と祭りを破壊したイギリスは、培ってきた食の能力を維持できず、味付けや調理の基準も衰退して、料理人の責任放棄が蔓延することとなった。他国の農業革命はイギリスほど徹底的に村と祭りを破壊しなかったので、民衆の食と音楽の能力は維持されたのである」とあります（「産業革命がイギリス料理を「まずく」した」『文藝春秋SPECIAL 二〇一七年季刊秋号』、六七ページ）。

この研究を紹介している政治学者の白井聡さんは次のようにコメントしています。「資本の側は、「そんな贅沢しなくていいじゃないか」とささやいてきます。「毎日カロリーメイトだけ食べてたって、別に十分生きていけるよ」というささやきは、いくらでも聞こえてくるし、確かにそれで生きていけないことはない。／そのとき「それはいやだ」と言えるかどうか。そこが階級闘争の原点になる」（『武器としての「資本論」』東洋経済新報社、二〇二〇年、二七七ページ）。ここに紹介されているのは、まさしく、贅沢が奪われていった過程、そして、贅沢があったことすら分からなくなってしまっている現状に他なりません。白井さんの本はマルクスの『資本論』の入門書なので「階級闘争」という言葉が使われていますが、別の言い方もできるはずです。いま僕らは浪費して贅沢を楽しみ満足に至ることができるはずなのに、それを奪われている。贅沢を求めることによってこそ社会は変わるのだ、と。

目的からはみ出る経験

さて、こうして贅沢について考察を深めていくとだんだん見えてくるのが、贅沢と目的の関係です。贅沢の本質には、目的なるものからの逸脱があるのではないでしょうか。たとえば、食事をするのは栄養を取るためであり、栄養摂取が食事の目的であると考えることはできます。確かに栄養摂取は食事にとっての欠かせない要素です。

しかし、食事と栄養摂取を等しいものと捉えることができるでしょうか。栄養摂取をしていれば、人間は確かに生存できるけれども、食事を生存という目的に還元することができるでしょうか。還元してよいでしょうか。我々が豊かさや充実感を感じるのは、目的をはみ出た部分によってです。確かに食に目的を設定するならばその目的は栄養摂取である。けれども、食がその目的しか追求しないようになったら、食における人間らしさは失われてしまうと言うべきではないでしょうか。その意味で、食が持つ栄養摂取という目的を超え出る経験、すなわち贅沢の経験が人間の食には欠かせないと言うことができるでしょう。食はその目的には還元できない側面を持っている。

同じことが、衣についても言えるでしょう。衣服は確かに保温等によって身を守ったり、身を覆って隠したりすることを目的としている。しかし、衣をそうした目的に還元できるでしょうか。還元するべきでしょうか。住についても全く同じことが言えます。つまり、楽しんだり浪費したり贅沢を享受したりすることは、生存の必要を超え出る、あるいは目的からはみ出る経験であり、我々は豊かさを感じて人間らしく生きるためにそうした経験を必要としているのです。必要と目的に還元できない生こそが、人間らしい生の核心にあると言うことができます。

目的にすべてを還元しようとする社会

それに対し、現代社会はあらゆるものを目的に還元し、目的からはみ出るものを認めようとしない社会になりつつあるのではないか――これが今日の話で皆さんと共有したいと思っている問題です。消費社会の論理は二一世紀になった現在でも支配的であるけれども、他方で、すべてを目的に還元する論理がそれと共犯関係を結んでこの社会を覆いつつあるのではないか。

この点について考えるために、先ほどの白井聡さんの問題提起を振り返ってみましょう。白井さんは「毎日カロリーメイトだけ食べてたって、別に十分生きていけるよ」とささやく資本の姿を描いてみせました。資本はなぜそのようにささやくのか。ここに描かれているのは、消費社会の中にいながらも贅沢をボンヤリとだが想像し始めた人間、贅沢はここにはないとボンヤリとだが気づき始めた人間に、「贅沢なんてしなくていいじゃないか」「贅沢を求めるなんて非倫理的じゃないか」とやんわりと説教している資本の姿に他なりません。つまり資本は、現状に対して疑問を抱き、何事かに気づき始めた人間を、これまで通りの消費社会の論理に連れ戻そうとするのです。だとすると、すべてを目的に還元する論理、目的をはみ出るものを許さない論理は、消費社会の論理を継続するために、現在、この社会でその支配を広げつつあるのだと言うことができるのではないでしょうか。

ここでコロナ危機下の現代社会についての僕の仮説を述べておきたいと思います。確かにコロナ危機下で社会は大きく変容したように見えます。しかし、不要不急と名指されたものを排除するのを厭わない社会の傾向——この傾向はこの四字熟語を使っていない多くの諸外国でも同様と思われます――は、実はそもそもコロナ以前から少しずつ進行していた社会の傾向ではないか。そして、より抽象的な言葉で言い換えるならば、その社会の傾向とはつまり、目的をはみ出るものを許さないという傾向ではないか。

そもそも、なぜ消費が浪費と混同されてしまうのでしょうか。それは消費社会が必死に「消費こそが贅沢をもたらすのだ」と消費者を説得し続けているからでしょう。だからこそ消費社会は、贅沢に気づき始めた人間には、「必要や目的を超えて何かを求めるなんておかしいでしょ」とまるで倫理を諭すかのようにささやいてくる。この二つの論理、すなわち、人々を記号消費のうちに留めおこうとする論理と、必要や目的を超え出る浪費を行おうとする人間にその贅沢を戒める論理とが手を結んだところに現代社会があり、コロナ危機下、「不要不急」と名指されたものを排除するのを厭わない傾向が容易に支配的となれたのは、もともとこの二重の論理が支配的だったからではないでしょうか。それは比喩的に言えば、食事を栄養摂取に等しいものと捉える社会です。実際、食事を栄養摂取と等しく捉える人を前にしても、僕らはあまり驚かなくなっています。

だとすると、コロナ危機下で起こっていることを「コロナだから仕方がない」という一言で片付けるわけにはいかなくなります。もちろん、一時的に様々な活動が制限されねばならなかったことは間違いない。けれども、だとしても、コロナ危機下に起こっていることを先の一言で片付けてはいけない。それは、コロナ危機だから進められたことではない可能性があるのです。批判的に検討されるべきだった傾向が、コロナを理由にして推進されているだけかもしれないのです。

目的の概念

今日は最初に、極端なことを考えてみたいと言いました。「極端」ということで、僕は、即座には現実に結びつかないかもしれないが論理としては整合性があることを、整合性がある限り突き詰められるだけ突き詰めて考えるということを意味しています。そこで、以上の考察を極端に推し進めることを試みたいと思います。

不要不急と名指されたものを排除するのを厭わない。必要を超え出ること、目的をはみ出るものを許さない。あらゆることを何かのために行い、何かのためでない行為を認めない。あらゆる行為はその目的と一致していて、そこからずれることがあってはならない。——いま僕が描き出そうとしている社会の傾向ないし論理とはこのようなものです。ここでは目的の概念が決定的に重要な役割を果たしていることが分かります。では目的とは何でしょうか。あまりにも日常的によく用いられる言葉ですから、この言葉のいったいどこに考察を加えるべきところがあるのだろうかと不思議に思われるかもしれません。しかし、このように自明と思われる言葉について掘り下げて考える手助けをしてくれるのが哲学なんですね。

ここではハンナ・アーレントに助力を求めることにしましょう。アーレントこそは、目的の概念を徹底的に思考した哲学者の一人に他なりません。まずは彼女の哲学的主著と言うべき『人間の条件』がこの概念について述べているところを見てみましょう。

目的として定められたある事柄を追求するためには、効果的でありさえすれば、すべての手段が許され、正当化される。こういう考え方を追求してゆけば、最後にはどんなに恐るべき結果が生まれるか、私たちは、おそらく、そのことに十分気がつき始めた最初の世代であろう(アレント『人間の条件』志水速雄訳、ちくま学芸文庫、一九九四年、三五九〜三六〇ページ）。

実に多くの考察と情報が詰め込まれた一節です。それらをできる限り敷衍してみましょう。一読して気づくのは、目的が手段と合わせて論じられているということです。ここまで僕はこの対（つい）については何も述べてきませんでしたが、目的の概念は確かに手段の概念と切り離せません。すると、何もかもが目的のために行われる状態とは、すべてが目的のための手段になってしまう状態として考えることができます。

目的と手段

先の引用文において、目的と手段の関係は、目的によって手段が正当化される関係として捉えられています。さて、目的が手段を正当化するという話を耳にすると、おそらく少なからぬ人が、「必ずしもそうではない」と直感するのではないでしょうか。「そうでなければ、多くの望ましからぬ手段、たとえば暴力が正当化されてしまう」と反発するのではないでしょうか。アーレントの言葉を用いて言い換えれば、目的のために効果的であるからといって、全ての手段が許され、正当化されるわけではない、という主旨の反発です。

実に興味深いのは、アーレントがこの引用部の直後で、このありうべき直感的反発に反論しているところです。といっても、彼女が「目的によって手段を正当化するべきだ」と主張しているわけではありません。そうではなくて、目的が立てられてしまったならば、その目的によって手段が正当化されないようにすることは無理だと述べているのです。

アーレントによれば、「必ずしもすべての手段が許されるわけではない」などという限定条件にはほとんど意味がありません（同書、三六〇ページ）。そんな限定条件を付けたところで、目的を立てたならば人間はその目的による手段の正当化に至るほかない。なぜならアーレントによれば、手段の正当化こそ、目的を定義するものに他ならないからです。

目的とはまさに手段を正当化するもののことであり、それが目的の定義にほかならない以上、目的はすべての手段を必ずしも正当化しないなどというのは、逆説を語ることになるからである（同書、三六〇ページ）。

非常に印象的で鋭利な言葉です。目的はしばしば手段を正当化してしまうことがあるのではない。目的という概念の本質は手段を正当化するところにある。アーレントはそう指摘しているわけです。何らかの強い道徳的信念をもった人物が、「どんな手段も認められるわけではない」と考えて、目的による手段の正当化を回避することは確かに起こりうるでしょう。しかし、この事態を回避するためになぜ強い道徳的信念が必要であるかと言えば、そもそも目的という概念に、手段の正当化という要素が含まれているからです。それがアーレントによる目的の概念の定義が言わんとしていることであり、この定義は事柄の本質そのものを捉える、すぐれて哲学的な定義だと言うことができます。目的の本質とは手段の正当化にある。そしてアーレントはこの本質から目を背けない。哲学者だからです。

目的のために効果的であるならばあらゆる手段が許されるという考えを追求していく

と、最後には「恐るべき結果」が訪れるとアーレントは述べていました。更に、「私たちは、おそらく、そのことに十分気がつき始めた最初の世代であろう」とも。『人間の条件』は一九五八年に刊行されています。第二次大戦の終結はわずか一三年前。ここで改めて紹介するならば、アーレントはドイツ出身のユダヤ系の哲学者です。大戦前、ナチス・ドイツの手を逃れるためにフランスを経由してアメリカに亡命。戦後、かの地で活躍しました。『全体主義の起原』という大著でその名を知られるようになったアーレントは、まさしく全体主義との戦いを生涯の課題とした哲学者です。「恐るべき結果」や「最初の世代」といった表現は、この彼女の経験から読み解くことができます。

チェスのためにチェスをする

人が贅沢をするのは、それがよろこびをもたらすからです。美味しい食事を食べるのは、それが美味しいからです。贅沢は何らかの目的のためになされるのではありません。ですから、「人間らしい生活をするために、私は贅沢をしなければならない」と考え、そのような目的を立てて贅沢をしようとしたら、それは贅沢ではなくなってしまうでしょう。贅沢はそもそも目的からはみ出るものであり、それが贅沢の定義に他ならないからです。

実はアーレントによれば、いま贅沢という例で説明したものこそ、全体主義が絶対に認めないものに他なりません。アーレントはこんな風に言っています。

全体的支配はその目的を実際に達しようとするならば、「チェスのためにチェスをすることにももはやまったく中立性を認めない」ところまで行かねばならず、これとまったく同じに芸術のための芸術に終止符を打つことが絶対に必要である。全体主義の支配者にとっては、チェスも芸術もともにまったく同じ水準の活動である。双方の場合とも人間は一つの事柄に没入しきっており、まさにそれゆえに完全には支配し得ない状態にある。ヒムラーがSS隊員を新しい型の人間として定義して、いかなる場合でも「それ自体のために或る事柄を行なう」ことの絶対にない人間と言ったのは間違っていない（アーレント『新版　全体主義の起原　3——全体主義』前掲書、三七ページ）。

決定的に重要な一節だと思います。全体主義においては、「チェスのためにチェスをする」ことが許されない。全体主義が求める人間は、いかなる場合でも、「それ自体のために或る事柄を行なう」ことの絶対にない人間である。だから芸術のための芸術も許されない。もちろん、食事のための食事も許されない。

衝撃的なのは、〈いかなる場合でもそれ自体のために或る事柄を行うことの絶対にない人間〉という言い回しは、「ヒムラー」や「SS隊員」への言及を取り除いてしまったら、現代ではむしろ肯定的に受け止められる言い回しではないかということです。どんな無駄も排し、常に目的を意識して行動する。チェスのためにチェスをすることも、食事のために食事をすることもない。あらゆることを何かのために行い、何かのためでない行為を認めない。必要を超え出ること、目的からはみ出ることを許さない。不要不急と名指されたものを排除するのを厭わない……。

すべてが目的のための手段になる

もちろん、何度でも繰り返しておかねばなりませんが、コロナ危機においては、感染の拡大を避けるために我々の様々な行動が一定期間制限されなければならなかったことは間違いないでしょう。不要不急と判断されたことを諦めねばならなかった場面があったことは間違いないでしょう。けれどもそこで実現された状態は、コロナ危機においてはじめて現代社会に現れたものだったのでしょうか。不要不急と名指された活動や行為を排除するのを厭わない傾向などとは無縁だった数年前の現代社会に、この傾向が、コロナ危機によって無理やり埋め込まれたのでしょうか。コロナ危機だから、不要不急と名指されたものが断念されているのでしょうか。

もしかしたらコロナ危機において実現されつつある状態とは、もともと現代社会に内在していて、しかも支配的になりつつあった傾向が実現した状態ではないでしょうか。不要不急と名指された活動は、コロナ危機だから制限されただけでなく、そもそもそれを制限しようとする傾向が現代社会のなかにあったのではないでしょうか。そしてその傾向は、必要を超えたり、目的からはみ出たりすることを戒める消費社会あるいは資本の論理によってもたらされたのではないでしょうか。人が必要を超えたり、目的からはみ出たりして何らかの贅沢を手に入れようとすれば、すぐさまそれを止めようとする、そのような戦略のもとでこの論理は作動し、何としてでも人々を消費の中に留め置こうとしているのではないでしょうか。

「戦略」という言葉を使ったからと言って、別にどこかに悪者がいて人々を操作していると考えてはなりません。社会の中で作動する戦略というのは、必ずしも誰かのものでもなければ、誰かによって立案されたものでもありません。ボードリヤールによって描き出された記号消費のゲームにしても、そのようなゲームを誰かが構想したわけではないのです。社会で作動している戦略というのは、ほとんどの場合——すこし現代思想っぽい言い方をすると——非人称的です。つまり背後に主体があるわけではない。

にもかかわらず、何らかの戦略が消費社会を貫いている。僕はかつて『暇と退屈の倫理学』では消費と浪費を区別することでそれを描き出そうとしたわけですが、今回は更に踏み込んで、目的と手段という対概念にまで話を広げようとしています。消費は間違いなくこの対概念で説明することができるでしょう。グルメブームにおいても、「世間の流行についていかなきゃいけない」とか「画像をネットにアップロードしなきゃいけない」といった目的が先行しており、お店に行って何かを食べることはその目的のための手段になってしまっている。それに対し、浪費においては食べることは手段ではない。もちろんいかなる食においても栄養摂取という目的が無になることはない。しかし、食事が栄養摂取に還元できないのは、食事がこの目的からはみ出る部分を持っているからです。このはみ出る部分を、僕は贅沢と呼んでいる。

そして消費社会がそのような贅沢を退けようとするのは、もちろんその支出を「もったいない」と思っているからではなくて、すべてを目的と手段の中に閉じ込める消費社会の論理を徹底するためでしょう。消費行動はすべて何らかの目的のために行われなければならない。したがって、消費行動が徹底された時に現れるのは、驚くべきことに、〈いかなる場合でもそれ自体のために或る事柄を行うことの絶対にない人間〉ではないでしょうか。

ベンヤミンの暴力論

もう一人、目的と手段について徹底的に考察した思想家がいます。それがヴァルター・ベンヤミンです。アーレントと同じくユダヤ系で、ちょうど同じ年、一九三三年にフランスに亡命しています。アーレントとはパリで親交を築き、尊敬し合う仲でした。アーレントはその後、アメリカへの亡命に成功しますが、ベンヤミンはピレネー山脈を越えてスペインへさらに亡命しようとした途中、ポルトボウという町で自死しました。翌朝にナチスの検問があるのを知って絶望してのことと言われていますが、詳しいことは分かっていません。

アーレントによるベンヤミン評がその著書、『暗い時代の人々』(阿部齊(ひとし)訳、ちくま学芸文庫、二〇〇五年)に収録されています。詩人にも哲学者にもなれなかったというある意味では半端な位置にいて、しかもどこか陰鬱さを感じさせるベンヤミンの思想と人物を見事に描ききった傑作です。その中でアーレントは、同じくベンヤミンの友人であったアドルノのこんな言葉を紹介しています。「ベンヤミンを正しく理解するには、かれのどの章句の背後でも、はげしく動揺しているものが何か静的なものに転換されていることを、まさに運動そのものについての静的な観念が存在することを感じとらなければならない」(同書、二五八ページ)。

見事な評だと思います。ベンヤミンの文章というのは非常に静謐で、サラッと読むだけでは何が起こっているのか分からない。けれどもよく読んでいくと、その静謐な文章の中に時折マグマが煮えたぎるような、とてもラディカルな概念が提示されていることが分かる。だとすると、ベンヤミンの文章は基本的に非常に難解だということになります。ここで取り上げたい「暴力批判論」は比較的読みやすい文章だと思いますが、それでも難解であることには変わりありません。特に末尾は大いなる謎に包まれた概念が出てくるのですが、ここではあまり深入りせず、あくまでも手段と目的の対概念という僕らの関心に関わる範囲でこの論文を読むことにしたいと思います。

「目的なき手段」「純粋な手段」

「正しい目的のため」という口実で正当化されてしまう最悪の手段は、間違いなく暴力でしょう。つまり暴力こそは、手段‐目的という連関が最も鋭く問われるトピックであります。ベンヤミンもおそらくはそのことを考慮してでしょう、暴力を批判するためには、「手段が用いられるその目的ということを考慮に入れずに、手段そのものの領域（スフェーレ）においてなされる区別」が求められると言います（ベンヤミン「暴力批判論」『ドイツ悲劇の根源（下）』浅井健二郎訳、ちくま学芸文庫、一九九九年、二二八ページ）。

既に非常に難解な言い回しが出てきましたが、噛み砕いて言えば、暴力という手段がどんな目的のために用いられるのかについては考えず、暴力という手段そのものの領域において暴力についての区別がなされなければいけないということです。その区別として挙げられるのが、有名な「法措定的暴力」と「法維持的暴力」なのですが、今日はここには深入りせず、論文の冒頭で語られる「政治的ゼネスト」と「プロレタリア的ゼネスト」という区別に注目したいと思います。

政治的ゼネストというのは或る目的があって、その手段として行われる、いわゆるストライキのことです。これは国家から許容されているストライキなのですが、国家がこれを認めている理由についてのベンヤミンの説明がどこか面白い。これを認めておけば労働者による暴力行為が妨げられるだろうと国家の側が判断したからだと指摘した上で、ベンヤミンは次のように続けています。「それというのも、以前はなににしろ、労働者たちはすぐにサボタージュに走ったり、工場に火をつけたりしたからである」（同書、二五五ページ)。物騒な話をしているというのに、ベンヤミンの説明はどこかユーモラスですね。それが訳文を通しても伝わってきます。

政治的ゼネストでは、たとえば「何々パーセントの賃上げ」などの目的を掲げ、それが認められるまでストライキをして、認められたらストライキを終える。つまり目的がはっきりしている。ベンヤミンの言葉で言えば、「正しい目的に対してそのための手段という関係にある」ストライキです(同書、二六二ページ)。では、それと区別されるプロレタリア的ゼネストとは何なのか。そのような手段と目的の関係の中にはないストライキであって、ベンヤミンはこれを「純粋な手段」と呼んでいます(同書、二五八ページ)。

しかし純粋な手段とは何でしょうか。手段を正当化するものというのが目的の定義であるとアーレントは言っていました。手段と目的についてアーレントとベンヤミンの間で明示的な意見交換があったかどうかはともかく、二人が交流の中で、こういう概念に至り着くようなやり取りをしていたことはあったのかもしれません。二人の思想はここで呼応しています。ただ、ベンヤミンはそこから純粋な手段というよく分からないことを言い出す。純粋に手段でしかないわけですから、それは目的によって汚染されていない手段、あるいは、目的のない手段と考えるほかありません。アガンベンもこのベンヤミンの論文を解説しながら、ここに現れているのは「目的なき手段」という逆説的な概念であると言っています（『カルマン——行為と罪過と身振りについて』上村忠男訳、みすず書房、二〇二二年、一三八ページ）。

カップ一揆とルール蜂起

僕がベンヤミンを読んでいて本当に面白いなと思うのは、こういう何を指しているのだか分からない概念が滔々と語られているところです。ベンヤミンの文章においては、「はげしく動揺しているものが何か静的なものに転換されている」というアドルノの指摘を先ほど紹介しましたが、これは言い換えれば、読み手の側で、静的なものからはげしく動揺しているものへの転換が必要だということであり、またおそらく、その転換にはある程度時間がかかるということだと思います。ベンヤミンの言葉は一見しただけでは何を指しているのか分からない。けれども、だんだんとその言葉そのものが読み手の頭の中に残って、イメージを喚起していく。「純粋な手段」とか——アガンベンによる言い換えですが——「目的なき手段」などはまさしくそのような言葉ではないでしょうか。最初はどこか馬鹿げている感じすらする。けれども、その言葉は忘れがたい何かを持っていて、読み手に時間をかけて考えることを強いるのです。

プロレタリア的ゼネストを語る時、実際にはベンヤミンは或る具体的な出来事を念頭に置いていたと大竹弘二さんがその著書で指摘しています（『公開性の根源——秘密政治の系譜学』太田出版、二〇一八年、四九三ページ）。一九二〇年三月にベルリンで起きた右翼クーデタ「カップ一揆」を数日で頓挫させたドイツ全土のゼネスト「ルール蜂起」がそれです。この時、カップという極右の政治運動家の扇動によって、武装蜂起した義勇軍がベルリンを占領しました。それに対し、社会民主党などが全国に呼びかけ、ドイツ全土でゼネストが起き、これを食い止めた（林健太郎『ワイマル共和国』前掲書、六八ページ）。

社会民主党の呼びかけで一揆を食い止めるために行われたわけですから、このゼネストも目的を持っていたようにも思われます。ただ、交通機関を始めとしたその他公共機関すべてが停止するというこの大規模なゼネストは、各地方の様々な政治組織に支持されるとともに、当初立てられていた目的を超えて、プロレタリア独裁による政治権力の実現を目指すようになるんですね。確かに全く目的から自由だということではない。しかし、これは最初に立てられた目的を超えて、それを規定していた諸条件を変更するような出来事であるとベンヤミンには思われたのでしょう。だからこそ、ベンヤミンをして「純粋な手段」——あるいは「目的なき手段」——のような概念へと思い至らしめたのではないでしょうか。

ベンヤミンの思考のスタイル

僕はベンヤミンの専門家ではないので、これ以上、彼について論ずることはできないのですが、「極端なこと」を考えたいと言って始めて、目的の概念について論じている今日のお話ではどうしてもベンヤミンを紹介したかったんですね。一つにはベンヤミンが目的の概念について徹底して考えた思想家だからということがありますが、それだけでなく、今日のような仕方で「極端なこと」を考えるにあたっては、ベンヤミンのような思考のスタイルが要請されるのではないかと思ったのです。つまり、一言聞いただけでパッと分かってしまうのではない、理解したりイメージを抱いたりするまでに非常に時間がかかる概念に取り組む、そういう思考のスタイルです。

コロナ危機における不要不急という言葉の流行をただ批判するだけでは、感染拡大を前にしての緊急措置を優先するか、それを単に頭ごなしに批判するかという対立にすぐに巻き込まれてしまいます。緊急措置が求められている現状を見据えつつ、同時に、そこに現れ出ている問題を批判的に検討するためには、すぐに分かるわけではない概念に取り組むベンヤミンのような思考のスタイルが要請されると思うのです。

そしてそこに現れ出ている問題が目的の概念と切り離せないのならば、ベンヤミン的な思考のスタイルがなおさらのこと必要になります。なぜなら、目的の概念は僕らの日常的な思考を大きく規定しており、明日からそれ無しでものを考えたり生活をしたりするなどということはありえないからです。仮にそのようなことを求める主張が説得的になされたとしても、人々は短期間の間それに熱狂するだけで、すぐに元に戻っていってしまうでしょう。目的という概念そのものを亡き者にすることなどできないし、望ましくもないが、しかしそれを批判的に検討しなければならない。だからこそ、時間をかけて取り組む必要がある。要するにゆっくり考える必要がある。心の中に「純粋な手段」とか「目的なき手段」といった言葉をしまっておいて、それが成長してくるのを待たなければならない。

キム少年——再びアーレントについて

ただもう少しヒントは欲しいように思います。あらゆるものが目的に還元された世界とは異なる世界を生きるとはどういうことか。再びアーレントに助けを求めましょう。

イギリスの作家ラドヤード・キプリング（一八六五〜一九三六年）に、『少年キム』という植民地文学の傑作と呼ばれる作品があります。邦訳は新しい訳が二〇一五年に岩波少年文庫として出版されていますので、児童文学とか少年文学と呼んでもよいかもしれません。実はアーレントが『全体主義の起原』の中でこの作品の非常に興味深い読解を行っているんですね。

この作品はインドで育ったイギリス人のキムという少年が、チベットのラマ僧と一緒に「矢の川」という輪廻転生から抜け出すことのできる川を探すお話です。キム少年はもともとそれなりに裕福な家庭に生まれたのだけれども、事情があって今はインドで孤児となり貧しい生活をしている。これだけ聞くと悲惨な話に聞こえるかもしれませんが、キムは全然困っていないんです。彼はインドのカースト社会を知り尽くしていて、たとえばどこに行けば食べ物にありつけるかも分かっている。三、四の言語を駆使しながら、たくましく――またここが大切なのですが――実に楽しそうにインド社会をサバイブしている。

驚くべきことに、このキム少年は大英帝国のスパイをしているんですね。イギリスの諜報機関というと映画『００７』でも知られるＭＩ６（正式名称は秘密情報部）が有名です。しかし、国家が専門の諜報機関を設置するようになるのは二〇世紀前半、ＭＩ６ができたのも第一次大戦の直前です。この小説の舞台は一九世紀半ば、ちょうどイギリスによる植民地支配が確かなものになっていく時期のインドであり、この頃、政府の諜報活動は民間人を通じて行われていました。キム少年みたいなスパイが本当に存在していたのです。

無目的の魅力

スパイとしてのキムの活動は確かに大英帝国の帝国主義に利用されてしまいます。ところがこの作品がやはり児童文学として優れているのは、その諜報活動を楽しんでやっているキムの姿が生き生きと描かれているからです。彼はインド社会を知り尽くしているから、どこに行っても如才なく振る舞う。ラマ僧のおじいさんを連れて歩き、彼が寝泊まりする場所を案配する。途中、汽車から放り出された時も、頼むべき相手をうまく見極めて頼み込み、「かわいそうな坊や、このチケットをどうぞ」なんて言わせて、お姉さんにチケットを買ってもらって再び汽車に乗り込む。スパイといっても諜報活動に付きまとう陰気さがない。岩波少年文庫に収録されているのもうなずける内容です。

作者のキプリングは基本的に帝国主義者なので、イギリスによるインドの植民地支配を肯定しています。ポスト・コロニアル文学研究の枠組みではその点は批判的に論じられているかもしれません。ただ、アーレントによる『少年キム』読解を紹介する文脈で、先ほど言及した大竹さんは、話はそんなに単純ではないし、キプリングは単なるヨーロッパ至上主義者ではないと指摘しています（『公開性の根源』前掲書、四三四ページ）。植民地は支配する側と支配される側という単純な二項対立で成り立っているのではない。必ずその支配には中間層があって、たとえばイギリス人だがインドで育ったキムのような存在がある。植民地を成立させているのは、むしろそうしたボーダーラインにいる人たちである。

たしかに小説は基本的に帝国主義者キプリングの視点に立っているわけですから、植民地が非常に魅力的に描かれています。複数の宗教がグチャグチャに入り混じっていたり、貧しい人への施しが当たり前で現代とは違う社会の風通しのよさがあるなど、非常に引き込まれる内容なんですね。もちろん暴力や差別は存在していて、植民地支配の負の側面も描かれているのですが、確かに植民地にはこうした魅力的な側面もあったのだろうと思わせる小説です。

では、なぜアーレントはこの小説に注目したのか。彼女はキムについてこのように記しています。

キムが冒険者たちを惹きつけずにはおかなかったのは、彼が「ゲームのためにゲームを愛した」からである。〔…〕人間がもはや人生のための人生を生き、人生のための人生を愛するだけの力を奮い起こせなくなったとき、冒険とゲームのためのゲームは最後の大いなる人生のシンボルと見えてくる。〔…〕

キムの存在は目的に堕した世界における無目的の魅力に包まれている（アーレント『新版 全体主義の起原 2――帝国主義』大島通義＋大島かおり訳、みすず書房、二〇一七年、一七三〜一七五ページ）。

キムはスパイという形で政治に関わり、ある達成をもたらします。ところが、それにもかかわらず、キムは少しも目的と手段の連関に冒されていない。キムは無目的の世界に生きており、その魅力を余すところなく発揮している。その時にアーレントが用いている表現が「ゲームのためのゲーム」です。これは当然、「チェスのためにチェスをすること」を思い起こさせます。つまりキムは、〈いかなる場合でもそれ自体のために或る事柄を行うことの絶対にない人間〉の対極にいる存在なのです。

官僚制と官僚支配

実はアーレントによる『少年キム』の読解にはもう少し背景があります。アーレントは「官僚制 bureaucracy」という言葉を、単なる役人の機構ではない、「官僚による支配」というラディカルな意味で捉え直し、その実現の典型を植民地における官僚制に見出します。ラディカルな意味というのはどういうことかというと、しばしば「民主主義」と翻訳される democracy は、「民衆」を意味するデーモスに「支配」を意味するクラトスが合わさったギリシア語を語源としていて、もともと「民衆による支配」を意味していたわけですが、同じように bureaucracy を単なる「官僚制」と理解する——あるいは翻訳する——のではなくて、「役所」を意味するビューローに「支配」を意味するクラトスが合わさってできた語として、すなわち、「役所による支配」を意味する語としてこれを捉えるということです。以下ではそのような意味を込めて仮にこの語を、「官僚制」ではなく「官僚支配」と訳すことにしましょう。

アーレントによれば、官僚支配においては、政治ではなく行政が、法律ではなく命令が、決定者の責任が問われる公的・法的な決定ではなく役所による匿名の処分が支配的になります。もはやお分かりの通り、アーレントはそのような言葉は使っていませんが、事実上、ここで語られているのは例外状態、すなわち行政権が立法権を凌駕してしまう状態に他なりません。ですから官僚支配（ビューロクラシー）とは、いかなる近代国家にとっても不可欠な官吏機構（いわゆる役所）とはほとんど関係がないとすらアーレントは言っています（同書、一一九ページ）。官僚制と呼ばれる機構と、それが潜在的にもっている支配の可能性とを、とりあえず分けて考えようということです。

官僚支配の特徴は、永続的に普遍妥当性を持つものとして想定されている法の規範性よりも、与えられた目的を達成するための目的合理性が優先されるところにあります。『少年キム』に言及する直前の箇所でアーレントは次のように述べています。「官僚制〔官僚支配〕もしくは行政手段による支配の技術上の特徴は、合法性、つまり普遍的妥当性をもつ法律の永続性が放棄され、その代わりにその時かぎりの適用を目的として次々に乱発される命令が登場するという点にある」（同書、一七二ページ）。

『少年キム』を解説するアーレントが記した「目的に堕した世界」とは、このような官僚支配の世界に他なりません。その中で、キムはただ「ゲームのためにゲームを愛した」。確かにキムの活動はイギリスの帝国主義に利用されてしまいます。しかし、「目的に堕した世界」を生きる人間とは全く違う生き方をキムは示した。キムは人生のために人生を生きたのであり、人生のための人生を愛する力を持っていた。それは目的のために何かを犠牲にすることのない人生、行為を何らかの目的のための手段とみなすようなことの決してない人生でしょう。目的は必ず手段の正当化をもたらし、手段の正当化は必ず何らかの犠牲をもたらします。「無目的の魅力」を体現する人物を、アーレントが、植民地で活躍したイギリスのスパイの少年に見出したという事実は非常に興味深いものです。

自由な行為とは何か

ただ、アーレントがキムに注目したのは、ただ単にキムが漠然と魅力を放っていたからではありません。そこには明確な理由があります。アーレントはキムの中に自由を巡る或る政治思想の伝統を見出したのです。キムは自由である——一言で言えばアーレントが考えているのはそのようなことです。目的合理性に貫かれた例外状態あるいは官僚支配に対して法の規範性を対置するのは非常に重要なスタンスであるわけですが、アーレントはそうではなくて、それとはまた別の、自由という概念を対置したのだと言えます（思えば、現在の例外状態を前にして法学者が自らの役割を果たしていないと述べた時にアガンベンが考えていたのは、これに法の規範性を対置することでした。それに対し、剝き出しの生、死者の権利、移動の自由などの論点を通じて人間同士の関係の行く末を憂慮していた時にアガンベンが考えていたのは、アーレントと全く同じ意味であるかはさておき、人間の自由が例外状態あるいは官僚支配の中で蔑ろにされていく現状であったと言えます）。

このことを理解するためには、アーレントにおける自由の概念を参照する必要があります。自由の概念は彼女の著作全編にわたって現れるのですが、ここではそれをタイトルに掲げ、この概念に真正面から取り組んでいる論文を参照することにしましょう。

行為は、自由であろうとすれば、一方では動機づけから、しかも他方では予言可能な結果としての意図された目標からも自由でなければならない。行為の一つ一つの局面において動機づけや目的が重要な要因でないというわけではない。それらは行為の個々の局面を規定する要因であるが、こうした要因を超越しうるかぎりでのみ行為は自由なのである（アーレント「自由とは何か」『過去と未来の間――政治思想への８試論』引田隆也＋齋藤純一訳、みすず書房、一九九四年、二〇四ページ［傍点は引用者］）。

自由の概念を正面から定義しているこの箇所は、ここまでお話ししてきた目的の概念を理解する上でも決定的に重要です。この一節から分かるように、アーレントによる目的の概念に対する批判は、その自由の概念と切り離せないからです。

まず大前提として、アーレントがここで考えようとしているのは、政治における自由であり、そして政治における自由は、意志の自由の問題とは関係がないということです。この直前でアーレントは「政治に関わる自由は、意志の現象ではない」とはっきり述べています。僕らは自由というとすぐに意志の自由の話だと思ってしまう。しかし、アーレントは僕ら人間がこの世界で生きているという事実そのものの中で自由を定義しようとしています。人間がこの世界で生きているとは、必ず複数の他者とともに生きているということであり、複数の他者とともに生きているとはそこに広い意味での政治があるということです。あるいは、政治とは複数の人間が一緒に生きている時に生じる営みである。

だから、自由について考えるのであれば、政治という複数性の営みの中でどう生きるか、どう振る舞うか、どう行為するかという観点からこれを定義しなければならないはずだというのがアーレントの言わんとしているところに他なりません。自由の概念には意志の自由の他に行為の自由があってアーレントはもっぱら後者を対象にしているということではないのです。自由について考えるとは、行為の自由について考えること、政治という複数性の営みのなかでどう自由に生きるかという問いに取り組むことに他なりません。

動機づけや目的を超越すること

先ほどの引用部では、自由に並んで、行為にとっての「動機づけ」「意図された目標」「目的」といった「要因」が言及されています。ここでは「目的」でこれらの要因を代表させることにしましょう。アーレントが言っているのは、行為にとって目的が重要な要因であることは間違いないが、しかし行為は目的を超越する限りで自由なのだということです。ここには目的の概念を考える上での大いなるヒントが記されているように思います。アーレントは目的の概念を徹底して批判的に考察していました。しかし、だからといって目的を抹消せよということではない。目的が行為する上で重要な役割を果たすことは間違いないのです。

けれども、そうした要因に規定されたまま行為するに留まっていたとしたら、その行為は自由ではない。つまり、「こういう動機でやっています」とか「こういう目標を達成するためにやっています」としか言えない行為は自由ではない。

たとえば文化祭の出し物を決めるために、学級会で話し合いをしますね。その最初には「文化祭に参加する」という目的がある。その目的によって話し合いが始まるわけだけれども、話し合いそのものが、話し合われている内容によってワクワクするものになっていくことがありますよね。簡単に言うと楽しくなるということです。その時、その話し合いは、もはや、文化祭に参加しなければならないから行われている話し合いではない。話し合いで決まった出し物を準備するにあたっても、その過程そのものが楽しみになることがあります。これは学校の文化祭では稀にしか起こらない幸福な経験なのかもしれませんが、確かにそういうことはあります。僕は経験したことがある。アーレントが自由な行為、目的を超越する限りで現れる自由な行為と言う時、これとそんなに違うことは言っていないと思います。

今日も僕は「学期末特別講話」と題してお話をしています。大学ではきちんと講義さえ行えばいいのですから、自分から進んでこのような場を設ける必要はありません。けれども、一学期間授業を行ってきて、最後にもうすこしラフにお話する機会があっていいなという気持ちが僕の中に芽生えてきた。そして、どうせやるならば面白いものにしたいと思うようになった。すると、最後にラフにお話をする機会を設けようという当初の目的すら、どこか超え出てしまっていて、この講義の準備自体に楽しみを感じるようになる。いや、もちろん、準備は結構大変なんですけどね。こうした活動は完全に大学において僕に充てがわれている目的を超越しています。実際、僕はいまとても自由にお話して、皆さんと関わることができていると感じています。だから、単位とは関係がないのにこうして話を聞きにきてくれた皆さんがいることが素直にうれしい。皆さんのおかげでこの講話が実現しているわけですから。動機づけや目的を超えるというのはそういうことじゃないでしょうか。

遊びについて

ここで一つの言葉を導入したいと思います。目的によって開始されつつも目的を超え出る行為、手段と目的の連関を逃れる活動、それは一言で言うと「遊び」ではないでしょうか。たとえば、子どもは砂場に行くと砂で山を作って、そこにトンネルを通そうとする。ある意味では、砂場を見た瞬間に山を作ろうという目的に導かれているのだとも言えるかもしれませんが、もちろん、その目的は目的としてはどうでもいいものです。なぜならば、山を作り、トンネルを通すということそれ自体が楽しみの対象であるからです。遊びには、明らかに手段と目的の連関を逃れる側面があります。

遊びなどというとふざけているのかと思われるかもしれません。たった今、政治における自由の話をしたばかりであり、そもそもこの講義はコロナ危機下の社会についての考察から始まりました。最終的に遊びの話になるとはどういうつもりか、真剣にやっているのかと言われるかもしれません。しかし、そもそも勘違いしてはならないのは、遊びは真剣に行われるものだということです。砂場の山作り、トンネル作りも、この講話も、文化祭の活動も、真剣に行われるから楽しいのです。充実感があるのです。

そして、「遊び」という日本語が持つ「ゆとり」という意味にも注意を促しておきたいと思います。「ハンドルの遊び」のような言い回しで、この語は、機械の連結部分がぴったりと付いていないでゆとりを持っていることを意味します。これは必要を超え出て、目的をはみ出る贅沢の経験を思い起こさせます。遊びは目的に従属する行為、哲学的な用語で硬く言えば、合目的的な活動から逃れるものに他なりません。そして、合目的性を逃れることは少しも不真面目であることを意味しません。遊びは真剣に行われるものであるし、ゆとりとしての遊びは活動がうまく行われるために欠かせないものです。

パフォーマンス芸術

実はアーレントも遊びという言葉こそ用いていませんが、それに通じる言葉を使って政治を説明することがあります。それが彼女の言う「パフォーマンス芸術」です。たとえば、ダンスのことを考えると一番分かり易いと思います。アーレントはこれを彫刻や絵画のような造形芸術と対照させながら次のように述べます。「パフォーマンス芸術においては、完成はパフォーマンスそのものにあり、最終作品――それは、この作品をもたらした活動を超えて存続しそれから独立するようになる――にあるのではない」「パフォーマンス芸術は、実際、政治との強い親和性をもっている」（「自由とは何か」『過去と未来の間』前掲書、二〇六、二〇八ページ）。

たとえば彫刻では「最終作品」こそが重要であって、そこに至るまでの行為の過程は、作品という目的を実現するための手段に過ぎません。それに対し、パフォーマンス芸術では行為していることそのものが作品の完成であって、それは目的を達成するための手段という連関から自由だというわけです。こうやって考えると、絵画の制作過程そのものを作品の一部にしようとしたアクション・ペインティングという二〇世紀芸術が持っていた企図の一つも見えてくるように思いますが、それを論じることは僕の能力を大きく超えてしまうので、言及はそれぐらいにしておきましょう。

とにかく重要なのは、ある目的達成のための手段ではない自由な活動が確かに存在しており、政治はそのような活動と強い親和性を持っているとするアーレントの指摘です。この指摘は少なからぬ人を当惑させるのではないかと思います。なぜならば、政治ほど目的が重要な領域はないのではないかとも思えるからです。

たとえば貧困の克服、平和の維持、安心できる暮らし……すぐに思いつく政治の課題、あるいは僕らが抱く政治への期待は、まさしく政治の目的というべきものであり、政治はこれらの目的こそを追求してほしいと僕らは考えているのではないでしょうか。だから目的の概念を批判するどころか、むしろ、目的を徹底的に追求せよと要求することこそが、政治に対する望ましい態度であると僕らは考えているのではないでしょうか。だとすると、アーレントの自由や政治の考え方は、哲学者の戯言なのでしょうか。政治について戯言を述べる哲学者風情の人物であるからこそ、キムのスパイ活動に関心を持ったりするのでしょうか。

ここで問われているのは、僕らの政治観であり、僕らが当然視している政治のあり方に他なりません。アーレントは事実上、「遊びとしての政治」について語っています。しかし、おそらく少なからぬ人がこの言い回しに反発するでしょう。反発する人も、遊びの必要については決して否定しないと思いますが、そこで肯定されるのはおそらく、政治のような真剣な活動の外側にある、休みとしての遊びではないかと思います。つまり、あくまでも真剣なものを追求するという目的に従属する限りで遊びが認められる。それはいわば、ウイークエンドの休みが、ウイークデイに働くという目的のために肯定されるような事態です。休むために休むことは認められない。もちろんここでも、〈いかなる場合でもそれ自体のために或る事柄を行うことの絶対にない人間〉という言い回しが思い起こされます。

いずれにせよ、政治は目的合理性の範囲内で行われるべきものではないのかという反論はありえます。それに関して、非常に示唆に富むことを大竹さんが指摘しています。

今日政治の目的とされるもの、例えば治安の維持や国の防衛、国富の増大や経済成長、さらには国民の福祉や幸福といった諸目的は、たとえそれがいかに必要であるように見えようと、決して政治的なものに固有のものではない。そうした諸目的の実現は、政治ではなく、むしろ行政によっても可能である。つまりそれは、いわば「ポスト政治的な」ガヴァナンスに委ねても差し障りがないものであると言える。

たしかに、こうした行政管理としての「政治」は古代から必要とされてきたし、これからも必要とされ続けるだろう。だが、政治の本来の潜勢力は、ガヴァナンスの目的合理的な達成に尽きるわけではない（『公開性の根源』前掲書、五二〇ページ）。

大竹さんが言っているのは、僕らが「政治の目的」としてしばしば掲げる課題は、実は必ずしも政治に固有なものではなくて、単なる行政管理によって実現可能だということです。言い換えればここで指摘されているのは、僕らが「政治」という言葉をほとんど行政管理の同義語として使いつつあるということ、そしてそれに何の違和感も持たなくなりつつあるということに他なりません。

実は七〇年近く前、一九五〇年代にアーレントが同様のことをややトリッキーな仕方で指摘していました。マルクスとともに仕事をしたフリードリッヒ・エンゲルスは『反デューリング論』という著作で、共産主義革命が訪れた後には国家は消滅し、統治や政治行為は「事物の管理」に置き換えられるだろうと予言しているのですが、マルクス主義に対して反対の立場を取るアーレントは、実際、エンゲルスの予言は実現されつつある、そして、その予言が実現した世界はディストピアであろうという趣旨のことを述べています（「伝統と近代」『過去と未来の間』前掲書、二二ページ）。

エンゲルスの意図はともかくとして、そう指摘するアーレントが思い描いていたのは、統治と政治が人間の管理に置き換えられ、人々が目的合理的な活動を達成した後でのみ、遊びが――おそらくは余暇に行われる消費として――認められるような社会です。そして、驚くべきであるのは、そのような社会が現在、ある意味で実現されてしまったのではないかということです。少なからぬ人々によって、政治は人間の合理的な管理であると考えられているでしょうし、目的合理的な活動が優先される社会の中で、遊びが認められるのはそれに抵触しない限りでのことです。逆説的な言い方をすれば、必要を超え出て、目的からはみ出す活動は、目的に奉仕する限りで、目的に抵触しない限りで認められる。おそらくそのような社会を、〈いかなる場合でもそれ自体のために或る事柄を行うことの絶対にない人間〉の社会と呼んでも間違いではないでしょう。それが不要不急と名指されたものを排除するのを厭わない社会の本性ではないでしょうか。

遊びとしての政治とプラトン

実は遊びとしての政治という考えは、あのプラトンが晩年に語った思想の一つでもありました。プラトンの政治哲学というと哲人王の考えが有名だと思います。哲学者が政治を司るべきだとする『国家』で語られた思想ですね。因みに今日何度も言及してきたアーレントが痛烈にこの思想を批判しました。

ただ、プラトンの政治思想はその後も変化していきます。最晩年の『法律』という著作では、『国家』とは少し異なった政治哲学が語られます。その中でプラトンは、アテナイからの客人に、人間は「神の玩具」として作られたものであり、だからこそ、できるだけ見事に遊びを楽しみながら生涯を送るべきだと語らせています。この客人によれば、それは不真面目に振る舞うということではなくて、そうやって遊びを楽しむことこそが「真剣な事柄」であるというのです。少し長くなりますが、引用してみましょう。

現在では一般に、真剣な仕事は遊びのためになされるべきだと考えられています。たとえば、戦争に関することは真剣な仕事であり、それは平和のために、うまくなされなければならないと考えられています。しかし事実は、戦争のうちには真の意味の遊び（パイディア）も、わたしたちにとって言うに足るだけの人間形成（パイディアー）も現に含まれてもいませんし、将来もないでしょう。しかし、わたしたちの主張からすれば、この人間形成こそ、わたしたちにとってもっとも真剣なことなのです。ですから、各人は、平和な生活をできるだけ長く、できるだけ善く過ごさなければならないのです。では、正しい生き方とは何でしょうか。ひとは一種の遊びを楽しみながら、つまり、犠牲を捧げたり歌ったり踊ったりしながら、生涯を過ごすべきではないでしょうか。そうすれば、神の加護をわが身にうけることができますし、敵を防ぎ、戦っては勝利を収めることができるのです（プラトン『法律』森進一他訳、岩波文庫、下巻、一九九三年、五七～五八ページ［８０３Ｄ－Ｅ］）。

カタカナでギリシア語が挿入されているのは、ここでプラトンが明らかに言葉遊びをしているからです。遊びを意味する「パイディアー」は、人間形成を意味する「パイデイアー」に通じているというわけです。人間形成こそが僕らにとって最も真剣なことである。ところが、戦争には少しもその真剣なことがない。つまりプラトンは遊びと真剣を分けるのではなくて、真剣に遊ぶことの重要性を説いている。

ここで言われる戦争は現代の戦争とは意味が異なっているので、やや注意が必要です。ここで語られているのは市民の義務としての戦争参加であり、つまり市民の政治的義務が問題にされていると考えておいてください。そうするとここで語られているのはまさしく遊びとしての政治だということになります。そして、アガンベンがこの箇所を解説して述べている通り、遊びはここで、手段と目的の関係を無効化するものとして捉えられていることになります。「「平和」という遊びが「戦争」というまじめな手段の目的として考えることができるという考えはここでは留保なく否定されている」からです（アガンベン『カルマン』前掲書、一一六ページ）。

アーレントはプラトンの政治哲学を徹底的に批判しましたが、アガンベンは、このプラトンの晩年の思想の中に、手段‐目的連関から自由である政治、まさしくアーレントが追究した政治のあり方を見出せるのだと言います。一部の人には言語道断と思われるかもしれません。実際、政治をあくまでも義務と考えたキケロによってこの考え方は退けられた。けれども、プラトンは心底真面目に「遊びにあふれた政治」を考えたのだとアガンベンは力説しています。

社会運動が楽しくてはダメなのか

僕はアガンベンのプラトン読解やアーレントの自由の概念を考えながら、自分の経験を思い起こさずにはいられませんでした。それは約一〇年前、地元の東京都小平市で、都道の建設に関する住民投票運動に参加した経験です。当時は五〇年前、ということは今では六〇年も前に策定され、事実上凍結されていた道路建設計画に基づいて、緑豊かな玉川上水や雑木林を貫通し、二〇〇世帯以上の民家を立ち退かせて道路を建設するという計画が突然東京都から打ち出され、それに対し地元で反対の声が上がったんですね。

僕が驚いたのは、このような道路計画を実施するにあたっては、地元住民に計画のあらましを説明さえすればよくて、特に住民に許可を取る必要もないという現在の日本の行政に認められた権利あるいは権力でした。今日も行政についてお話をしましたが、政治哲学における行政の重要性について真剣に考えるようになったのはその時からです。僕自身、ずっと政治哲学を勉強し、民主主義について考えてきたつもりでしたが、完全な盲点があったと思った。それが政治における行政の権力という問題だったんです。

詳しいことは『来るべき民主主義——小平市都道328号線と近代政治哲学の諸問題』（幻冬舎新書、二〇一三年）という本に書きましたが、実は、あの本には書かなかったことがありました。少しそのことをお話しさせてください。

住民投票を求める運動が地元で始まった頃、それを知った僕は何気なくそのことをツイッターで紹介しました。そうしたら、運動をやっている方から「署名集めを手伝ってもらえませんか」というダイレクトメッセージが届いたんですね。僕は「いいですよ」と気軽な気持ちで引き受けたのですが、その後、道路や住民投票のことを地元の人に知ってもらうためのイベント開催を頼まれたりして、だんだんと一生懸命に運動に関わるようになりました。問題は深刻ですし、僕自身も憤りを感じていた。だから様々なところでこの問題を訴えることになりました。すると、ある時、ふと、自分がこの活動に何らかの充実感を得ていることに気づいたんですね。ある講演会の準備が整った時、一緒に活動していた人に、「この活動があんな道路を何とかするためのものじゃなかったらよかったのにね」とポロッと漏らしたこともありました。

僕は若い頃から社会運動には人並み以上の関心を持っていましたから、社会運動が陥る罠のようなものにも敏感でした。僕が当時警戒していたのは、社会運動が「自己目的化」することでした。社会運動が社会運動のために行われているように見えてしまうことを何としてでも避けなければならないと強く心に誓っていた。だから、運動に携わる中で何らかの楽しさを覚えたとしても、それを口にしたり、書いたりすることはするまいと思っていました。実際、本にはそのことは書かなかった。絶対に誤解されると思ったからです。

でも、一〇年近い時間が経って、また、アーレントとかアガンベンとか大竹弘二さんの仕事などを勉強して、もしかしたらあれは大切なことだったのかもしれないと思うようになりました。充実感を得るために社会運動をしていたのではありません。運動自体は確かに最初は目的によって駆動される。つまり、この場合ならば道路建設を止めるという目的のために運動は始まりましたし、僕もこの目的のために運動に参加しました。けれども、社会運動に携わることが結果として何らかの充実感をもたらすことは事実なのです。それはおそらくアーレントの言う通り、自分が自由に行為する場面があったからだろうと思います。いつもそうというわけではありません。目的に縛られてしまうこともある。けれども、運動に携わりながら、自由を感じることが間違いなくあったのだと思います。

　こういう経験がありますので、「遊びとしての政治」という言葉を使うにあたっても、僕は大変な緊張をしています。僕のこの言葉遣いで、あの運動自体が否定的に評価されることもありうるだろうと思うからです。しかし、目的合理性だけにとらわれ、遊びを全く失った社会運動のようなものがあったら、それは恐ろしいものではないでしょうか。それはあらゆる手段とあらゆる犠牲を正当化する運動に他なりません。

　結果として充実感を得ていることと、充実感のために何かをすることとは、外側から見ていると区別ができないかもしれません。何事も性急に判断して良い悪いを決めつけてくる現在のＳＮＳに支配された言論環境では、そのような区別は全く顧みられないでしょう。

しかし、この区別は大切です。現在の言論環境の圧力に負けて、その区別に対して見て見ぬ振りをするようなことがあってはならないと思います。だから僕はあの住民投票運動に携わる中で、或る充実感を得たことがあったという事実をしっかりと認めたいと思います。もちろんたくさん苦しいことがありましたし、住民投票自体は実施されたにもかかわらず開票すらされず、最終的に敗北と言える結果に終わったことを今でも悔しく思います。けれども、運動に携わる中に自分にとっての自由の経験があったことは確かであり、それはささやかな政治参加ではありましたが、とても大切で貴重な経験でした。

まとめ

今日は不要不急という言葉、そして僕の『暇と退屈の倫理学』を出発点にして、主に目的の概念について考察してきました。最後にまとめをしておきましょう。

繰り返し強調しておけば、僕らの生活の中から目的が消え去るということはありえません。したがって、目的合理的に作用する行政管理が消え去ることも絶対にありえません。問題は、あらゆるものが目的合理性に還元されてしまう事態に警戒することです。

人間が自由に行為すれば、そこには同意や共感だけでなく、不同意や反感も生まれるでしょう。そうすれば対話や調整が必要になります。思いが実現されることもあれば、実現されずに苦しい思いをすることもあるでしょう。しかし、そうした自由な活動に真剣に取り組む時、人間は目的と手段という連関からは一時的にでも離れて、何らかの喜びや充実を感じる。アーレントやアガンベンや大竹さんが政治と呼んでいるものは、そうした、人間がどうしても避けることができないと同時に、人間だからこそ為し得る活動のことではないかと思います。その活動は単に目的に奉仕する活動ではないがゆえに、目的のための犠牲を正当化しない活動です。言い換えれば、目的から自由である活動を忘れた時、人間は目的のためにあらゆる手段とあらゆる犠牲とを正当化するようになります。

　ではこの観点からコロナ危機下の社会についてどんなことが言えるでしょうか。不要不急と名指されたものを排除するのを厭わない社会に対して、「無駄なことも必要」という言い方で異議を唱えることには一定の意義があると思います。ただ、これが、そのような社会の論理に完全に乗っかって発せられた異論であることに注意しなければなりません。なぜならば、「無駄」という言葉によって、あくまでも目的合理性が優先であって、目的のために手段と犠牲が正当化されることもやむを得ないという考えを認めた上で、その余白も認めてほしいと懇願しているのがこの言い方であるからです。

　目的合理的な活動が社会から絶対になくならない以上、そのような懇願には意義があります。しかし、重要なのは人間の活動には目的に奉仕する以上の要素があり、活動が目的によって駆動されるとしても、その目的を超え出ることを経験できるところに人間の自由があるということです。それは政治においても、食事においても変わりません。

　目的のために手段や犠牲を正当化するという論理から離れることができる限りで、人間は自由である。人間の自由は、必要を超え出たり、目的からはみ出たりすることを求める。その意味で、人間の自由は広い意味での贅沢と不可分だと言ってもよいかもしれません。そこに人間が人間らしく生きる喜びと楽しみがあるのだと思います。

というわけで、気づけば三時間が過ぎましたね。今日はありがとうございました。

【質疑応答】

1．コロナ危機と自由の関係について

國分　質問がある人はどうぞ。

質問一　アーレントがパフォーマンス芸術について述べたこととコロナ危機の関係についてお伺いしたいと思います。今日、先生はその点には言及されませんでしたが、「パフォーマンス芸術は、実際、政治との強い親和性をもっている」と述べた後で、アーレントはこう続けていますよね。「舞踏家、俳優、音楽家などのパフォーマンス芸術家は、自らの至芸を示すために観客を必要とするが、それはちょうど、行為する人びとが自らの姿を現わすために他者の現前を必要とするのと同じである。いずれもその「作品」のために公的に組織された空間を必要とし、いずれもパフォーマンスそのもののために他

者に依存している」（「自由とは何か」『過去と未来の間』前掲書、二〇八ページ）。

アーレントはつまり、パフォーマンス芸術は観客を必要とする、観客の存在によってこそパフォーマンスは可能となる、と言っていて、それは政治も同様であるということでした。そして、自由な行為というのは動機や目的を超えていく。では、外出自粛を要請されているコロナ危機の緊急事態宣言下において、「自由な行為」は可能なんでしょうか。コロナ危機と自由の関係をどう考えればいいのか教えて下さい。

國分　すごく重要な指摘をいただきました。コロナ危機が始まってから僕もずっとそのことを考えていました。アーレントがパフォーマンス芸術や政治には他者が必要であると書く時、当然ながら、目の前に身体をもって存在している他者のことを考えていたと思います。では、コロナ危機の中で普及したＺｏｏｍを通じてのコミュニケーションの場合、画面に現れる他者ははたしてアーレントの言う他者と同じなのか。

これは非常に難しい問題です。まだ僕にも答えはありませんが、両者が全く異なるものだとは言えないでしょうね。他者に見られるという経験はＺｏｏｍでも可能です。ただ、他者のあり方は異なっていますね。

当然ながらポイントはそこに身体がないということですね。身体がないことで生じる、他者の或る種の軽さをどう捉えるか。今日は対面でお話をしていますが、その時に君たちの存在は非常に重いものです。重いというのは、強烈な責任を感じるということでして、僕も必死になる。Ｚｏｏｍでそのような責任を感じていないのかというと、もちろんそうではないのだけれども、具体的な身体の重みは、話をしている人に直接に責任の重みを感じさせるということはあるだろうと思います。友人の千葉雅也くんが言っていたのだけれど、いわゆるネットの「炎上」というのがありますね。あれはネットだから悪い形でエスカレートするのであって、対面では同じことは起こらない。そのことを指して千葉くんは、「抑止として他者の身体がある」と言っていました。他者の身体というのは抑止力をもつ。僕が重いと言ったのも、この抑止力のことではないかと思います。だから遠慮もあるし、気遣いもある。

質問一　もともと政治の在り方として、他者を必要とするというのが根っこにあるということですか。

國分　他者を必要としない政治はないいんじゃないかな。アーレントがプラトンの哲人王という考えを批判したのも、そこに現れるのが他者を必要としない「政治」だからでしょう。哲人王が一人で決めてしまうのならば、それは結局は政治の抹消である、と。他者というのは政治の大前提だと思いますね。

質問一　もうちょっと具体的な話として、コロナによる外出自粛要請を守るとして、ステイホームで何かできないか考えるじゃないですか。おうちでどう楽しむか、YouTubeに動画をアップしてみたり、普段できないことをしてみようとか、その場合の行為というのは自由なんでしょうか？

國分　家でネットを前にして何かに真剣に取り組むことが自由な行為になる場合は間違いなくあると思う。けれども、家に留まることを要請されている時、自分が何らかの権利を制限されているという意識は持っておくべきでしょう。今は感染対策のために仕方なく受け入れているということは忘れないようにしてほしい。

それにそう思っておかないと、ずるずると「これでいいじゃないか」となってしまうよね。大学の授業だって、もうずっとオンラインでいいじゃないかなんて話もあったぐらいだし。

質問一　そう思っていた学生も少なくなかったと思います。

國分　そうだよね。オンライン授業のほうがいいと思っていた人もいた。また、オンライン授業だから滞りなく授業に参加できたという学生もいる。そのあたりはケース・バイ・ケースで考えないといけないけれども、対面で行う授業の重要性は忘れてはならないと思います。ただ僕自身もこのことはまだ十分には言葉にできていませんので、引き続き考えたいと思います。

2. 責任について

質問二　今の質問とも関わっているのですが、先ほど「責任」という言葉が出てきました。先生は真剣に遊ぶことが大事だとおっしゃっていて、では、真剣になることの条件は何なのだろう、それはやはり他者とある種の関係を持つことなんじゃないかなと思ったんです。関係と言っても一方的な依存関係ではなくて、相互に依存し合っているような関係です。そこにはある意味で責任が生じると思います。相互理解と互いの互いへの責任、それが真剣になるための条件じゃないかと思うんです。

一方で「不要不急」というテーマに戻ると、自分の行動によって、自分が感染するということだけではなく、他の誰かを感染させてしまうかもしれないことに意識的であれとこの三年間でずっと言われてきました。それはもちろん事実なので否定するつもりもないのですが、一方で政治を担っている人が、それを全部個人の責任に帰してしまったことに対して、強い違和感を覚えてもいます。

こうした責任をめぐるいろいろな側面について、今日のお話から先生がどうお考えになるかをお伺いできればと思っています。

國分 ありがとうございます。責任のことは全く違う文脈でしか考えたことがなかったので、いま質問をいただいて、「そうだ、ここから責任についても考えなければいけない」と気づきました。その点について、いま大事なことを言ってくださったと思います。真剣であることの条件は何だろうか。真剣に遊ぶための条件は何だろうか。他者との関係はおそらく重要な要素の一つでしょうね。他者にレスポンスできるということですね。

質問を伺っていて思いましたが、遊びの一つとして一人遊びというものがありますよね。一人遊びも真剣にやりますよね。砂場で子どもが一人で真剣に山を作ってトンネルを通すということはよくあることです。この場合はどう考えたらよいか。砂を他者とみなすべきなのか。これは物との対話と考えるべきなのか。このあたりは今後、考えていきたいと思います。

感染を個人のせいにしたという話がありました。それは日本のコロナ危機の特徴だったように思います。感染した人が個人的に責められ、またひどい罪悪感を抱くという現象です。フランスのコロナ対策を見ていると、手取り足取り細かいところまで政府が指示をしてきた、つまり押し付けたわけですが、日本の場合は細かなことを現場の人たちが自分たちで判断しなければならなかった。それは大変な苦労だったと思います。政府の対応にしても、日本とヨーロッパの状況を単純に比較はできませんね。

今日お話しした「遊びとしての政治」は、その言い回しだけを聞くと「無責任な政治」みたいに聞こえるでしょう。だから今日お話ししたような前提が欠かせません。真剣な遊びとしての政治は、それこそ、目的を理由にして責任逃れをすることのない政治です。「これが目的なのだから仕方ない」という論法は無責任と切り離せない。その意味では今日お話しした政治の話は責任の議論につなげていくことができますね。重要な論点をいただきました。

＊

「学期末講話」という初めての試みでしたが、参加してくれた皆さん、ありがとうございました。今日は久しぶりに『暇と退屈の倫理学』で書いたことについて改めて考えることができました。あの本は経済の話が中心でしたが、今日こうして政治についてもあの本を出発点にして考えることができたのはとてもよかったと自分では感じています。この一〇年は、それこそ暇がなくて、今日話したようなことを考える時間がなかなかありませんでした。学期末という貴重な時間を使って皆さんにお話を聞いてもらってよかったと思いますし、今日の話がこれからものを考えるヒントになればと願っています。

では、今日はこれまでにいたしましょう。

おわりに

哲学の書籍を出版することは、その中で考えられていることに対し、著者が何らかの決着をつけたことを意味している。決着はしばしば断念を伴う。それ以上考えること、それ以上書くことについての断念である。もっと何か考えられたかもしれない。もっと何か書けたかもしれない。実現しえたかもしれないし、実現しえなかったかもしれないこの過去のポテンシャルは、断念という事実を確認し続けることを著者に強いる。

しかし、そんなに深刻な断念を前提にしない哲学の書籍があってもいいのではないだろうか。決着をつけることはできていないが、いま考えていることを現状報告として書き記す。考えは続くかもしれないし、続かないかもしれない。続けられる人がいたら、その人に続けてもらえればいい。おかしなところがあれば指摘してもらって、次からはそこに留意する。

シリーズ哲学講話を始めるにあたって考えていたのはそのようなことである。書くことに伴う断念に真剣に向き合う倫理もあれば、考えていることを講話として世に問い、その反応に応答しながら考え続ける倫理もある。ただし、考えは続かないこともあるから、シリーズもどこまで続くかは分からない。とはいえ、続かないとも言えない。それがこのシリーズ哲学講話である。

本書は新潮社の金寿煥さんのご提案により実現したものである。シリーズ化をご提案くださったのも金さんである。完成までに本当にお世話になった。心からお礼申し上げたい。また、本書で展開された議論は、公益財団法人 たばこ総合研究センターより委託された研究課題「「享受の快」とは何か？――嗜好品の意義をめぐる哲学的研究」の研究成果の一部である。コロナ禍で研究がスケジュール通りに進まないことについて、関係者の皆様には寛大なご理解をいただいた。心からお礼申し上げたい。

二〇二三年三月　桜の木が花をつけた日に

國分功一郎

國分功一郎　1974年生まれ。東京大学大学院総合文化研究科教授。博士（学術）。専攻は哲学。著書に『暇と退屈の倫理学』『中動態の世界――意志と責任の考古学』『スピノザ――読む人の肖像』など。

Ⓢ新潮新書

991

目的への抵抗
シリーズ哲学講話

著　者　國分功一郎

2023年４月20日　発行
2024年９月５日　３刷

発行者　佐　藤　隆　信

発行所　株式会社 新潮社

〒162-8711　東京都新宿区矢来町71番地
編集部(03)3266-5430　読者係(03)3266-5111
https://www.shinchosha.co.jp
装幀　新潮社装幀室

印刷所　錦明印刷株式会社

製本所　錦明印刷株式会社

ISBN978-4-10-610991-1　C0210